La **NUEVA**

dieta sin trucos—

La guía de *Buena Salud*® para
perder peso y no recuperarlo

La **NUEVA**

dieta sin trucos—

La guía de *Buena Salud*® para
perder peso y no recuperarlo

৹৹

Jane L. Delgado, Ph.D., M.S.

Buena
Salud
Press

Este libro fue publicado en los Estados Unidos de América
Primera edición
ISBN: 978-0-9979954-0-4
1 2 3 4 5 6 7 8 9 10

Library of Congress Control Number: 2016957220

Contenido

INTRODUCCIÓN

Cuando perdí casi cuarenta libras, me di cuenta de que finalmente había logrado aprovechar toda la ciencia y experiencias para controlar mi peso. Mi objetivo es compartir con todos lo que aprendí y dejar atrás los malos consejos que me dieron durante muchos años.

Sé lo difícil que es mantener un peso saludable, porque he vivido ese reto todos los días de mi vida. En el pasado, cuando seguía el consejo de expertos, me sentía muy frustrada. Como sicóloga muy enterada de temas científicos, encontraba que la información disponible sobre cómo alcanzar un peso saludable podía ser desde inútil hasta peligrosa.

Por supuesto, había muchos testimonios e innumerables programas con frases llamativas. Los programas con pérdidas drásticas de peso, con sus fotos del antes y el después, se veían tentadores. Todo esto tenía el respaldo de anécdotas de que se podía perder muchas libras en pocos días o semanas. Por supuesto, cada programa enfatizaba lo fácil que era perder peso y que bastaba seguir su plan especial, comprar sus productos especiales o inscribirse en su oferta especial.

Y como somos humanos y queremos creer que es verdad, cada solución fácil es muy seductora. La industria para perder peso se aprovecha de todos los que estamos dispuestos a probar lo que sea y sus ingresos ascienden a $59 mil millones de dólares.[1]

Para muchos de nosotros, que acumulamos las libras muy rápida y naturalmente, debería haber una manera igualmente fácil, rápida y sin dolor para deshacernos de ellas. Después de intentar numerosas formas de perder peso, todos hemos aprendido que, lamentablemente, así no funciona. Si perder peso fuera tan fácil y rápido, nadie tendría exceso de peso; todos mantendríamos un peso saludable.

La verdad es que recuperar la salud es difícil. Y eso no es lo que la gente quiere escuchar. De hecho, usted no va a perder peso ni rápida ni fácilmente. Volver a un peso saludable y mantenerlo requiere esfuerzo. Toma mucho tiempo, trabajo y paciencia. Después de todos estos años, he reunido la investigación más reciente y todo lo que he aprendido para ayudar a cada uno de nosotros a alcanzar y mantener un peso saludable. El trabajo que toda persona debe hacer requiere desarrollar nuevas prácticas y deshacerse de viejos hábitos.

Recuerdo que empecé a preocuparme por mi peso en el cuarto grado. También era difícil encontrar ropa que me quedara bien. Algunas tiendas tenían una "sección para gorditas", pero cuando iba de compras no veía cosas con las que me sentía contenta. La ropa que vendían no era divertida como la que compraban mis amigas. Lo más desalentador era el hecho de que las opciones disponibles parecían tener el propósito de cubrir todo.

Felizmente, tenía una madre maravillosa que me ayudó a desarrollar una saludable autoestima, gracias a la cual tenía una imagen positiva de mi persona sin importar el peso. Fue una bendición, porque aunque me decían que tenía sobrepeso, seguía sintiéndome bien conmigo misma. Lamentablemente, este no es el caso de muchas niñas y cada vez más niños. A menudo son víctimas de *bullies* y bromas crueles que afectan su autoestima.

A pesar de que mi madre alentó mi autoestima, las normas culturales no estaban a mi favor. La cultura puede ser cruel y el mensaje estaba claro: según los cuadros, y en base a mi estatura, mi peso dejaba mucho que desear. Como sabía que no iba a crecer más, el peso ideal para alguien de mi estatura según todos esos cuadros, parecía más una barrera que una meta alcanzable. Pero eso no me desanimó y seguí tratando. Como resultado, estuve pendiente de mi peso por décadas. Probé todos los planes y programas que me recomendaron para alcanzar el peso ideal para alguien de mi estatura.

Durante todos esos años, tuve que lidiar con todos los pronunciamientos de expertos que realmente nunca tuvieron que controlar su propio peso. Sus palabras explicaban en detalle todas las cosas que yo hacía mal. También señalaban ciertos aspectos de mi conducta que eran problemáticos. Dependiendo del experto de moda, la razón por la que no perdía peso era porque no tenía fuerza de voluntad, era floja o comía alimentos que eran malos para mí.

Incluso con toda esa negatividad, seguí probando todos los planes para perder peso con la esperanza de que alguno funcionara. Aunque tuve éxito limitado, con el tiempo volvía a recuperar el peso perdido. Con el correr de los años, probablemente perdí y recuperé suficiente peso para formar varias personas.

No estaba sola en mis esfuerzos. Me quejaba con mis amigas que también probaban el programa del momento. Unas pocas perdieron peso, pero la mayoría solo fuimos un bumerán: perdimos peso y lo recuperamos, además de unas libras extra.

Lo intenté todo. Me inscribí en gimnasios, hice todo tipo de ejercicio para músculos específicos sin que nada surtiera efecto, escribí metódicamente mis ejercicios hasta que perdieron todo significado. Las actividades de mi vida cotidiana no dejaban lugar para el plan de ejercicios mejor intencionado. (Una amiga se rio de sus resultados, observando irónicamente que, después de seguir una dieta por treinta días, lo único que había perdido eran cinco días.)

Cuando leí que la persona promedio gana una o dos libras cada año a partir de los 35, calculé que para cuando tuviera cincuenta, mis 5'3" habrían acumulado un peso considerable. A medida que pasaban los años, anotaba mi peso y veía cómo se acumulaban las libras. Parecía inevitable y acepté mi sobrepeso como parte de mi vida.

Ya que trabajaba en asuntos de salud y bienestar, decidí que iba a ser lo más saludable que podía a pesar de mi peso. Comía comida sana, baja de sal, evitaba las bebidas gaseosas y trataba de hacer ejercicio tanto como podía para controlar mi peso. Lo más importante de todo es que sentía respeto por todos, especialmente por quienes estaban haciendo el esfuerzo de controlar su peso, así como por quienes se habían rendido. Yo había estado en ambas situaciones.

Y aun así seguí ganando peso. A veces sentía que bastaba que viera comida para que las libras se acumularan. Y lo más desalentador era tener éxito con una dieta pero que, con el tiempo, las libras regresaran para quedarse.

Ya que mi peso variaba, mi clóset era el reflejo de las muchas tallas y estilos que me quedaban según lo que indicaba la balanza. Felizmente, los fabricantes de ropa por fin se habían dado cuenta de que había gente que necesitaba tallas más grandes y que no solo quería usar caftanes. Me sentía cómoda comprando ropa atractiva en la tienda de tallas grandes, porque me di cuenta de que la ropa entallada, y no las carpas, era la que me quedaba mejor. Mis amigos sabían que, sin importar la talla, siempre que iba a nadar me ponía un bikini negro. Tal vez no era tan delgada como otras personas pero, francamente, me sentía tan sexy como siempre.

Aunque lucía bien y me sentía cómoda conmigo misma, a medida que los años pasaban, las lesiones de mis años adolescentes y más atléticos empezaron a crear problemas que no había anticipado. Me dolían las rodillas y no podía caminar tanto como quería. Aprendí que cada libra de peso adicional añadía cuatro libras de carga a mis rodillas e incrementaba el desgaste de los cartílagos en las articulaciones. Quería perder peso, no para cambiar la talla de ropa sino para evitar el dolor de rodillas. Sin embargo, mis esfuerzos eran inútiles: seguía sin poder perder peso de manera significativa. Luego, de repente, apareció un nuevo estímulo para seguir tratando de perder peso, y la fuente era totalmente inesperada.

Un día, mi mejor amiga me dijo que había conocido al amor de su vida y que se iban a casar en pocos meses. Yo sabía que tenía que estar con ella para celebrar su matrimonio, pero también sabía que los pasajes y el hotel para mi esposo y para mí iban a costar un ojo de la cara. Teníamos dinero suficiente para ir a la boda, pero no había presupuesto para un nuevo vestido. Solo me quedaba usar uno de los vestidos que tenía.

Revisé la parte trasera de mi clóset, donde guardaba los vestidos que iba a usar "algún día", y descubrí un vestido que solo me había puesto una vez. Siete años atrás lo había usado y realmente me quedaba muy bien. Sabía que si perdía diez libras, me podía volver a poner el vestido.

Para mí, que había perdido peso muchísimas veces, sabía que iba a ser difícil pero no imposible perder diez libras antes de la boda de mi amiga. Pesaba 237 libras. Diez libras (4% de mi peso corporal) no parecía mucho peso que perder.

Cuando era joven, podía perder eso en pocas semanas. Iba a ser más difícil ahora, ya que, por experiencia, cuanto mayor eres, mayor la dificultad para perder cada libra. Sin embargo, sabía que podía hacerlo porque sabía lo básico: "comer menos, moverse más". Para mi sorpresa, al poco tiempo de poner en práctica esta estrategia, me di cuenta de que no estaba funcionando. Tenía que hacer algo diferente. Y lo hice.

Empecé por investigar las varias opciones que siempre se mencionan cuando se trata de comer menos. Por muchas razones, no estaba interesada en considerar la cirugía. Y aunque hay medicamentos que pueden ayudar, sabía que no eran la respuesta para mí. Sobre todo, sabía que tenía que evitar los muchos suplementos nutricionales que los comerciales y los medios promueven agresivamente. Los suplementos nutriciónales no están regulados como los medicamentos, y me preocupaba que se había prohibido la venta de demasiados productos para perder peso en el pasado. Los laxantes, los diuréticos y similares no me atraían para nada. Lo importante era que esos productos no eran sostenibles en una estrategia para toda la vida, pues algunos de ellos, de hecho, pueden hacer más daño a largo plazo. Quería alcanzar una talla más saludable sin aumentar el riesgo de padecer otros problemas de salud.

Lo que necesitaba cambiar no se limitaba a comida y actividad física. Tenía que cambiar mi enfoque de cuándo y cómo comer. Me di cuenta de que no bastaba saber que algo trae un beneficio o una solución para causar un cambio de conducta. Necesitaba aceptar ese conocimiento en la mente y el corazón. Y la aceptación implicaba pensar en comer de manera diferente. ¿Pero qué debía hacer? Las sugerencias de expertos bien intencionados parecían llevarme hacia el mismo callejón sin salida al que había llegado antes.

Lo que seguía resonando en mi mente eran las palabras de una francesa experta en nutrición, que había escuchado años atrás. Durante una mesa redonda sobre alimentación saludable, la Dra. France Bellisle había comentado que *"el concepto francés de hambre es diferente del concepto norteamericano"*. Su comentario me pareció interesante y por eso lo guardé en mi mente. Sus palabras me ayudaron a revelar lo que tenía que hacer que era radicalmente nuevo y diferente.

Tengo que admitir que, al principio, su explicación de cómo relacionarse con la comida, me pareció extraña y poco razonable. Al mismo tiempo, me preguntaba lo que pasaría si ponía en práctica lo que decía. Tendría que pensar en la comida de una manera totalmente diferente. Necesitaría desarrollar nuevos hábitos para evitar todas las situaciones que desencadenaban el deseo de comer (tanto interna como externamente) y cambiar mucho de lo que había estado haciendo toda mi vida. Ya que nada había funcionado, me convencí de que no tenía nada que perder, excepto las pocas libras que quería rebajar. Así que seguí sus consejos. Empecé a reflexionar en cómo me sentía cuando tenía hambre y lo que hacía. También empecé a realizar una calibración mental de los diferentes niveles de hambre y a reconocer las muchas situaciones que me hacían comer más de lo que debía, incluso cuando no tenía hambre.

Para el día de la boda, había perdido diez libras. Me puse el vestido y las sandalias doradas que hacían juego. Mi esposo y yo bailamos toda la noche. Para mi sorpresa, no me dolieron las rodillas. A pesar de que el vestido me quedaba un poquito apretado, me sentía muy bien.

Pensé en lo que había logrado y estaba feliz. Las diez libras perdidas fueron el resultado de aplicar y modificar todo lo que aprendí en décadas sobre qué nos motiva a hacer lo que hacemos. Estaba tan feliz con mi logro que comencé a pensar que tal vez podía seguir por el mismo camino.

Me preguntaba si realmente podía perder más peso si continuaba lo que había estado haciendo. Me enfocaría en pensar de la nueva manera y en hacer que mis nuevos hábitos fueran mi estilo de vida. Lo había hecho ya por algunos meses. Tal vez podía hacerlo por un periodo más largo para ver si se producían incluso más cambios. De modo que decidí seguir mi programa y ver si podía perder más del exceso de peso que tenía. Sabía que los retos serían enormes, ya que en solo dos meses celebraríamos el Día de Acción de Gracias y las fiestas.

Para mi asombro, en ocho meses, perdí un total de 32 libras. Tres meses más tarde, había perdido cinco libras más. Había perdido 37 libras en menos de un año. Aunque no veía una gran diferencia cuando me miraba al espejo, me sentía mucho mejor, y mi ropa me empezaba a quedar diferente.

Después de 15 meses, había perdido 42 libras. Las libras que había ganado, perdido y vuelto a ganar en los últimos veinte años habían desaparecido. Lo que aprendí, los recientes conocimientos científicos y las muchas personas que compartieron sus experiencias y consejos sobre lo que funcionó y no funcionó para ellos me inspiraron a escribir este libro.

Este libro no es para todos, pero es para todos nosotros que tenemos sobrepeso, y que tenemos la esperanza de encontrar una manera de conseguir los resultados que queremos sin volver a recuperar el peso perdido. Mientras algunos necesitamos perder peso, otros necesitan ganar peso. La meta general es ser más sanos. El peso es solo uno de los cuantificadores que se toman a lo largo del camino. El reto es que cada persona se proponga un objetivo de peso razonable, teniendo en cuenta que el peso es solo *una* de las formas de cuantificar su nivel de salud, y que luego mantenga ese peso saludable junto con todas sus otras conductas saludables.

Proponerse metas es un proceso y la clave es que esas metas sean razonables. Una vez que la primera meta se alcance, se puede fijar otra nueva meta de peso razonable. De esta manera, cada persona logra pequeños éxitos. Estos éxitos se volverán motivación adicional para continuar los cambios de vida que está haciendo.

Yo sabía que, para mí, pesar menos de 200 libras sería un gran logro. Cabe recalcar que ese peso es más de lo recomendado para la mayoría de las personas de mi estatura, pero significaría un cambio enorme para mí. Pude lograr mi meta porque me propuse llegar a 200 y lo logré. Sé que habrá quienes critiquen mi meta y señalen que todavía sigo siendo obesa. Pero para mí, es un progreso fabuloso y mi salud ha mejorado gracias a esto. Y después de todo, es mi vida.

Tenga en cuenta que cada uno tendrá una meta diferente. Tener salud y aptitud física puede significar diferentes cosas dependiendo de su sexo, raza, etnia, edad, estatura, tipo de cuerpo y todos los otros factores que determinan su vida. Antes de empezar cualquier plan, debe consultar con su proveedor de servicios de salud para tener una idea básica de su estado de salud.

También necesita prepararse para poner en práctica sus planes de perder peso y mejorar su relación con la comida. Así como sabemos que la misma estrategia no les sirve a todos, ni siquiera a la mayoría, los hábitos y prácticas que desarrolle deben ajustarse a usted para que pueda incorporar cada uno a su vida diaria.

Lo que realmente hice para cambiar mi relación con la comida y perder peso se basa en lo que aprendí durante décadas de investigación sobre la alimentación, nutrición y metabolismo; de escuchar a quienes atendían a personas que deseaban perder peso; y de mis propias experiencias de trabajo clínico. Aprender formas nuevas sobre cómo, qué y cuándo comer fue vital y cambió todo.

Nuevamente, no hay un solo plan que permita que todos pierdan peso y no lo recuperen. Por eso este libro se enfoca en información clave en lugar de un plan específico. La más reciente investigación sobre el peso y el índice de masa corporal (BMI en inglés) y lo que estos realmente miden puede ayudar a proponerse metas y expectativas razonables. La mención del hambre y lo que significa es clave para ayudar a recalibrar la sensación de sentirse lleno y sentir hambre, porque una parte importante de llegar a un peso saludable es saber cómo responder a todo tipo de indicadores alrededor de usted y dentro de usted.

Si conocemos los muchos factores que determinan cómo comer, qué comer y cuándo comer, podemos aprender a dominarlos. Aunque consideramos que la cultura y la publicidad son aspectos de nuestra vida que moldean y definen cómo y qué comemos, es imperativo que cada uno de nosotros analice los factores que nos rodean y que nos llevan a comer más de lo que necesitamos y dificultan tomar buenas decisiones sobre cuándo comer y cuánto para que sea una porción saludable. Hay obstáculos reales que debemos aprender a sobrellevar y conductas bien afianzadas que debemos cambiar.

Si usted se ha esforzado por controlar su peso a lo largo de su vida, sabe que hay muchos planes y programas. También sabe que la mayoría de ellos no funcionan a largo plazo. Como la mayoría de nosotros, he probado muchas maneras de controlar mi peso. Tanto la ciencia y nuestra experiencia compartida dejan en claro que no hay una única solución mágica. El enfoque de este libro incluye una variedad de hábitos saludables y consejos para que cambie su manera de relacionarse con la comida y lograr un cambio. Por ejemplo, si toma conciencia de los diferentes aspectos de nuestra cultura que nos impulsan a comer, puede crear un sistema de apoyo que le permita comer de manera que lo ayude a controlar su peso.

Aquí presento los últimos descubrimientos para ayudarlo a usar esta información a fin de desarrollar y adoptar nuevas prácticas de modo que tenga éxito en cambiar la manera en que come. Me enfoco en los mejores hábitos que debe adoptar y hacerlos parte de su vida. Y para que estos buenos hábitos produzcan los cambios que usted quiere, debe practicarlos. Al principio no lo hará correctamente, ni lo hará todo el tiempo, pero cuanto más practique, más se harán parte de su vida.

En mis conversaciones con muchas personas sobre alcanzar un peso saludable, es evidente que mucha gente puede repetir la información, el conocimiento y todo lo que se necesita saber para comer sano y controlar su peso. Las conductas y estrategias que escoja adoptar lo ayudarán en sus esfuerzos. Usted puede tener éxito.

La esencia del mensaje de este libro es que el mejor plan está hecho para usted y por usted. Aunque hay muchos profesionales que le pueden dar consejos sobre qué comer y cómo hacer ejercicio, usted debe asumir este esfuerzo como propio.

Quiero ayudarlo en este esfuerzo para mejorar su salud por medio del control de su peso. Para mí, este es un reto para toda la vida y lo pondré al día de todo lo que funciona y lo que no.

Dígame lo que funciona para usted y comparta sus experiencias en janeonhealth.blogspot.com. Podemos aprender los unos de los otros en el camino.

---

[1]*"The U.S. Weight Loss Market: 2014 Status Report & Forecast."* Bharat Book Bureau. Mumbai

CAPÍTULO 1

Es su vida

Si está leyendo este libro, sabe lo que quiere: un peso más saludable. Aunque no hay un plan que funciona para todos, la información, los buenos hábitos y estrategias en este libro le darán las herramientas que puede usar para llegar a donde quiere. Mejorar la salud es una labor para toda la vida que usted mismo debe definir. Cada momento de su vida, esta labor debe ser recalibrada dependiendo de lo que está haciendo. A veces, necesitará afilar sus herramientas, abandonar algunas o cambiarlas. Me alegra poder compartir con usted varias herramientas y estrategias que pueden funcionar para usted.

Sabemos que perder peso es difícil y que cuanto más peso tenga que perder para llegar al rango "normal", más *improbable* será que lo pierda.[1] La Dra. Alison Fildes del Departamento de Atención Primaria y Ciencias de Salud Pública, del King's College de Londres, y su equipo, analizaron las historias médicas de 76,704 hombres obesos y 99,791 mujeres obesas durante un periodo de nueve años. La mayoría de las personas fueron incapaces de alcanzar un peso normal o mantener el peso que perdieron. Según sus resultados, "la probabilidad anual de lograr la reducción de 5% de peso fue de una en ocho para los hombres y una en siete para las mujeres con obesidad mórbida".

Uno de los aspectos más importantes del plan para mejorar su salud es permitirse descansos en el ínterin para decidir si desea continuar. Tal vez piense que es suficiente llegar a donde llegó, o tal vez decida seguir avanzando por el mismo camino. La clave para que usted esté más sano es proponerse metas razonables. Debe enfocarse en lo que podrá ser capaz de hacer.

No es cuestión de fuerza de voluntad

Alicia siempre batalló con su peso. Cuando me preguntó cómo logré adelgazar, le dije todo lo que había hecho y cómo había cambiado la manera en que entendía el hambre. Su reacción fue no darle importancia a lo que dije y me contestó: "Es que tienes fuerza de voluntad. Eso es todo lo que se necesita". Y yo le dije: "No, controlar el peso no es cuestión de fuerza de voluntad. Siempre he tenido fuerza de voluntad, pero antes no podía mantener el peso que sabía que era más saludable para mí".

La definición de "fuerza de voluntad" en *The Free Dictionary* es (1) la habilidad de controlarse y determinar sus acciones; (2) voluntad firme.[2] En nuestra sociedad, la fuerza de voluntad es un concepto clave, porque creemos firmemente en la autodeterminación, y la fuerza de voluntad es su expresión natural. Inherente en nuestro estilo de vida es la expectativa de que podemos hacer lo que nos proponemos, siempre que nuestro anhelo por lograrlo sea suficientemente fuerte. En español, el término "ganas" implica este tipo de deseo. Tener "ganas" significa que realmente queremos algo y que haremos todo lo que esté de nuestra parte para lograrlo.

Lo que escuché de muchos es que mientras la fuerza de voluntad puede ser un concepto útil para algunas conductas, en lo que respecta a comer saludablemente, todo lo que hace es desanimar a quienes quieren bajar de peso. En lugar de proporcionar un respaldo, la contraparte de decir que controlar el peso depende de la fuerza de voluntad, es la implicancia no tan sutil de que quienes batallan para mantener un peso saludable no tienen fuerza de voluntad y son glotones que no pueden controlar lo que comen. El problema con esa forma de pensar es que le resta importancia a la realidad de los factores desencadenantes en nuestra cultura. Estos factores, a veces sutiles, nos llevan a comer sin importar nuestro nivel de hambre y nos enseñan a satisfacer toda la sensación de hambre inmediatamente con cualquier comida que sea rápida de conseguir y fácil de consumir.

Por eso, respecto a la alimentación saludable, el concepto de fuerza de voluntad no solo es incorrecto, sino que de hecho afecta a las personas que más deberíamos tratar de apoyar porque están tratando de controlar su peso. Darle tanta importancia a la fuerza de voluntad son tonterías. Conozco a muchos hombres y mujeres con fuerza de voluntad, y a pesar de eso batallan con su peso. Lo que necesitamos es desarrollar estrategias que nos ayuden. Necesitamos añadir nuevas estrategias que sean útiles y abandonar las que no lo son. No se trata de que otros le impongan una meta o que esta meta es buena para otra persona. Se trata de usted y solo usted.

Cada persona tiene que definir la ruta a tomar y luego identificar y reunir las herramientas y estrategias que funcionarán para ella. Como primer paso, es crucial dejar de pensar en todas las actitudes negativas de la sociedad sobre el sobrepeso. Todos sabemos que hay una tremenda presión social para pesar y verse de cierta manera.

También, si lo reconoce o no, el estigma social tiene muchas consecuencias negativas que son parte de los retos de verse más saludable. Los prejuicios contra el sobrepeso[3] son reales y causan mucho daño. Según el Dr. Reginald Washington, médico en jefe del Rocky Mountain Hospital para niños en Denver, Colorado, el prejuicio contra el peso "puede definirse como la propensión a juzgar irracionalmente a la persona en base a su peso". Nos recomienda a todos que, como parte "del esfuerzo por evitar este prejuicio contra el sobrepeso, los nuevos esfuerzos para reducir la obesidad deben ser evaluados a fin de determinar si estos esfuerzos, de hecho, empeoran el problema".

Los investigadores advierten que la "discriminación contra personas obesas amenaza la salud, genera disparidad de salud e interfiere con las intervenciones eficaces contra la obesidad".[4] Por eso se necesita olvidar los sentimientos negativos respecto al peso *antes* de proponerse metas.

Su meta general debe ser mejorar su salud y reconocer que los cambios en su apariencia son solo un efecto secundario. Aunque verse mejor es agradable, es esencial sentirse mejor.

La convicción clave que debe internalizar es que la labor de mejorar la salud es su decisión y que el primer paso es proponerse una meta de peso. Considerando todos los datos, un buen lugar para empezar es entender mejor el significado de peso. Es un cuantificador que usted puede usar para determinar su progreso, con el fin de planificar mejor sus esfuerzos hacia una vida más saludable, pero debe entender lo que realmente significa el peso.

Peso

Técnicamente, el peso mide cuánta fuerza ejerce presión sobre usted como resultado de la gravedad. La mayoría de nosotros tenemos una buena idea de lo que pesamos ahora, lo que hemos pesado en diferentes momentos de nuestra vida y lo que nos gustaría pesar.

El tema del peso y el peso ideal de alguien es algo que se debate mucho. Todos tratan de comentar sobre el peso ideal. Según el Instituto Nacional del Corazón, Pulmones y Sangre (National Heart, Lung, and Blood Institute o NHLBI) su estatura y peso son medidas clave que se usan para calcular su índice de masa corporal (BMI por su sigla en inglés). Hay muchas calculadoras en el internet para determinar su BMI, que es un valor correlacionado con otras cantidades de grasa total en su cuerpo.[5] Hay varias maneras de calcular el BMI, pero la mayoría usa calculadores que siguen las descripciones del NHLBI.

NHLBI

Descripción	BMI
Bajo de peso	menos de 18.5
Normal	18.5 - 24.9
Sobrepeso	25.0 - 29.9
Obesidad (Clase I)	30.0 - 34.9
Obesidad (Clase II)	35.0 - 39.9
Obesidad (Clase III)	40.0 o más

El BMI se viene usando desde el siglo XIX,[6] pero no es tan preciso como se piensa. Por ejemplo, las tablas de BMI califican de obesos a atletas y personas con una contextura musculosa, y califican de bajos de peso a personas mayores o individuos que han perdido masa muscular. Tampoco toma en cuenta diferencias por edad, sexo, tipo corporal, raza, etnia o una combinación de estos factores. Además, los investigadores han revelado información sobre el BMI que me asombró:

Lo que parece una pequeña pérdida de peso tiene un gran impacto en su salud. Cuando muchos de nosotros pensamos en alcanzar un peso saludable, pensamos en perder muchas libras. Aunque esa puede ser la meta a largo plazo, los estudios muestran que perder 5% del peso disminuye la cantidad de grasa en el centro del cuerpo y ayuda a incrementar la capacidad de respuesta a la insulina de muchos de los órganos del cuerpo.[7] A medida que se pierde más peso, empieza a cambiar la manera en que funciona el tejido adiposo en el cuerpo. A continuación, esta lo que significa perder 5% del peso corporal para personas que empiezan en diferentes niveles de peso.

Su peso (lbs.)	5% menos (lbs)
300	15
275	13.75
250	12.5
225	11.25
200	10
175	8.5
150	7.5

El peso normal no es el mejor. Si miramos los resultados de estudios nacionales, el Centro Nacional de Estadísticas de Salud (National Center for Health Statistics o NCHS) identificó algunas tendencias inesperadas. Con el fin de entender mejor los resultados de varios niveles de BMI, el NCHS trató de analizar los datos existentes utilizando la cifra de exceso de muertes para ver el impacto del BMI en la longevidad de una persona. El exceso de muerte es una cifra que indica cuántas personas más morirían por un factor específico comparadas con el número de personas que habrían muerto de todos modos.

Documentaron que tener un índice de masa corporal (BMI) dentro del rango de sobrepeso ocasionó un *menor* exceso de muerte que tener un peso normal.[8] Los grupos que tuvieron un mayor exceso de muerte fueron los que estaban bajos de peso y quienes tenían un BMI superior a 35. En su investigación más reciente, la Dra. Katherine Flegal, líder en su campo y una prolífica investigadora del Centro Nacional de Estadísticas de Salud, solo analizó los datos de personas con peso normal o por encima de lo normal. Con base en incluso más datos, encontró que las personas con un BMI superior a 35 (obesidad Clase II) tenían más mortandad de todas las causas, pero "tener sobrepeso [BMI menor de 30] estaba asociado con una mortandad significativamente menor de todas las causas".[9]

Esto causó confusión y dejó sin respuesta preguntas sobre el impacto en la salud de la persona a medida que se incrementaba el BMI. En julio del 2014, la Dra. Cari Kitahara, investigadora del Instituto Nacional del Cáncer, División de Epidemiología y Genética del Cáncer, y sus colegas[10] publicaron las conclusiones de su extenso análisis de veinte estudios. En este resumen, estudiaron a 304,000 personas de peso normal y 9,500 personas con obesidad de Clase III. Las personas en los estudios vivían en Estados Unidos, Suecia y Australia. Lo que encontraron es que, a medida que subía el BMI, se perdían más años de vida.

BMI	Años de vida perdidos
40 - 44.9	6.5
45 - 49.9	8.9
50 - 54.9	9.8
55 - 59.9	13.7

¿Pero qué significa toda esta investigación? ¿Significa que está bien o incluso, que es deseable tener sobrepeso? Si un tercio de la población tiene un peso normal o menor, un tercio tiene sobrepeso y un tercio es obesa, ¿cómo puede esto cambiar la manera en que la gente se ve a sí misma o las metas que se proponen las personas?

¿Por qué innumerables comunicados de prensa sobre los peligros de la obesidad parecieron ignorar las noticias de que tener sobrepeso está bien y que es la obesidad la que ocasiona consecuencias negativas para la salud? Esta información es clave para entender por qué es esencial controlar nuestro peso y proponernos metas significativas. También es posible que las personas se vean más motivadas sabiendo que no tienen que perder tanto peso como pensaban y que ser demasiado delgadas tampoco es bueno. Además, deja sin respuesta la pregunta de cuál debería de ser el enfoque de nuestros esfuerzos para mejorar nuestra salud.

El BMI es relativamente fácil de calcular, pero su verdadera importancia es su relación con la grasa corporal. Hay algunos factores clave para comprender la grasa corporal: qué es, dónde se localiza y qué riesgos pueden afectar la salud de la gente que tiene demasiada.

Sobre la grasa corporal. Por mucho tiempo se les dijo a las personas que las células de grasa en nuestro cuerpo eran solo glóbulos de exceso de materia blanca. Sin embargo, eso es incorrecto. Ahora sabemos que las células de grasa son parte de nuestro sistema endocrino.

El sistema endocrino es la parte de nuestro cuerpo que produce todas las hormonas que necesitamos para funcionar. Estas hormonas controlan todo, desde el sueño, la función sexual y el metabolismo. Algunos investigadores han llegado a decir que la grasa es un órgano endocrino.[11] Sabemos que las células de grasa producen leptina, una hormona que trabaja para suprimir el hambre y acelerar el metabolismo. Aunque las personas con más células de grasa tienen más leptina, algunos investigadores han propuesto que las personas con exceso de peso han desarrollado resistencia a las señales que la leptina envía el cuerpo. Algunos estudios sugieren una relación entre la leptina y la grelina (la hormona "del hambre").

No toda la grasa es igual. Hay dos tipos principales de grasa: grasa café y grasa blanca. La grasa blanca almacena energía, mientras que la grasa café la quema. La grasa café constituye 5% del peso de un bebé, pero con el tiempo, la cantidad de grasa café en el cuerpo disminuye. Por eso la División de Nutrición, Actividad Física y Obesidad de los Centros para el Control y Prevención de Enfermedades (CDC por su sigla en inglés) aclaró que "los BMI de niños y adolescentes deben ser específicos por edad y sexo porque la cantidad de grasa corporal cambia con la edad, y la cantidad de grasa corporal es diferente en niños y niñas".[12] Los adultos solo tienen pequeñas reservas de grasa café en los hombros y cuello. Lo importante es que la grasa desempeña una función clave respecto a las hormonas de nuestro cuerpo. El problema es que cuando tenemos demasiada grasa, se convierte en una carga para todos los sistemas de nuestro cuerpo.

En realidad, medir la grasa total del cuerpo es complicado. Por eso se usa el BMI para darnos una idea general de cuánta grasa tiene una persona, a pesar de que sabemos que no es un cuantificador adecuado para muchas personas. Además, respecto a la grasa, lo que preocupa no es solo cuánta grasa tiene una persona, sino dónde tiene acumulado ese exceso de grasa.

La importancia de medir la cintura es que es un estimado de la grasa en el centro de su cuerpo. El exceso de grasa en la zona abdominal rodea sus órganos vitales y es una amenaza para su salud. La forma de su cuerpo (de manzana o pera) a menudo es un indicador de cuánta grasa tiene acumulada en el centro de su cuerpo. Por eso medir su cintura es otra manera de calcular dónde puede tener exceso de grasa.

A medida que fuimos aprendiendo sobre la grasa corporal, los estudios sugirieron que las mujeres con cintura de más de 35 pulgadas y hombres con una cintura superior a 40 pulgadas, tenían un riesgo más alto de enfermedades cardiacas y diabetes. Para mi sorpresa, la circunferencia de cintura no es la de su correa o pantalón. Según el NHLBI, la manera correcta de medir su cintura es "pararse y poner una cinta medidora alrededor del centro de su cuerpo, justo encima del hueso de la cadera. Mida su cintura justo después de que haya botado el aire de la respiración."[13] Cuando me medí la cintura usando este método, mi cintura medía más de lo que pensaba.

La preocupación por la cintura, a veces llamada obesidad central, debe ser motivo de inquietud para muchos de nosotros. Estudios recientes sugieren que la salud de las personas que tienen un peso normal y acumulan peso en la cintura, es peor a largo plazo que la salud de otras personas que no acumulan peso en la cintura, sin importar si la persona tiene sobrepeso o es obesa.[14]

Su salud corre incluso mayor peligro si acumula grasa en la zona del abdomen y tiene algunos o todos los siguientes factores de riesgo:

- presión alta (hipertensión)
- colesterol LDL alto (colesterol "malo")
- colesterol HDL bajo (colesterol "bueno")
- triglicéridos altos
- glucosa alta (azúcar)
- antecedentes familiares de enfermedad cardiaca prematura
- inactividad física
- tabaquismo

Mejor que el BMI. Dadas las limitaciones del BMI, había la necesidad de desarrollar una mejor forma de medición en base a la información de personas reales. Sabiendo que la edad, sexo, estatura, peso y circunferencia de cintura son todos datos fácilmente accesibles, Nir Y. Krakauer del Departamento de Ingeniería Civil, The City College of New York en Nueva York y Jesse C. Krakauer[15] de Middletown Medical en Middletown, Nueva York desarrollaron un "Índice de Tipos Corporales" (A Body Shape Index o ABSI). Este número se basa en medidas reales de personas en

Estados Unidos e información sobre las que murieron. Usaron los datos de los 14,105 hombres y mujeres no embarazadas que participaron en la Encuesta Nacional de Salud y Nutrición (National Health and Nutrition Examination Survey o NHANES) de 1999 a 2004.

Los Krakauer explican claramente que "la correlación entre ABSI y el peligro de mortandad se mantiene en todo el rango de edad, sexo y BMI, tanto para personas de raza blanca y negra (pero no para mexicanos)". Lo que ABSI proporciona es la probabilidad de que alguien muera prematuramente. Un valor menor a uno significa que el riesgo es menor que el de la persona típica, y un valor mayor a uno significa que el riesgo es mayor. Los resultados de la calculadora en internet me parecieron muy informativos.

Lo que fue increíblemente informativo fue su conclusión de que "encontramos que tanto el BMI bajo y alto aumentaron el peligro de mortandad... El riesgo más bajo de mortandad estaba en el quinto medio de tanto el BMI y la circunferencia de cintura, aunque la mediana de la población estaba claramente en la categoría de "sobrepeso" o "pre obesa" de la Organización Mundial de la Salud (OMS)". Una vez más, tener sobrepeso producía los mejores resultados de salud. Esto me fue muy útil cuando llegó el momento de proponer metas y llevar cuenta de mi peso.

Inicio del plan

Estaba contándole a mi amiga Olivia que mi libro era un enfoque racional para perder peso y cómo, según el CDC, las personas con sobrepeso, pero no obesas, de hecho viven más que las personas de peso normal. Enfaticé que no basta ver un cuadro para determinar el peso correcto de cada persona. Esto sorprendió y confundió a Olivia, que preguntó: "Bien, entonces, ¿cómo sabe una persona lo que debe pesar?" Y yo le respondí que el peso "es una meta que debe tener en cuenta varias opciones y decisiones que toma la persona". Mi respuesta le hizo fruncir el ceño. No era la respuesta simple que buscaba.

Las metas dependen de usted. Al mismo tiempo, los plazos deben ser realistas: debe darse suficiente tiempo para llegar a un nivel más saludable, y una vez que llegue allí, debe darle tiempo a su cuerpo para que se adapte a su nueva forma. Usted decide cuánto hará para mejorar su salud y cuándo se detendrá.

A medida que empiece su plan para ser más saludable, es importante proponerse la primera meta. Esta meta se debe basar en algo realista que puede lograr en los próximos meses. Puede ser útil anotar su peso, pero es bueno proponerse otras metas para usted mismo, para que sepa cómo le está yendo.

Comprender el impacto del peso y la cintura sobre su salud es la clave para proponerse metas razonables. Para lograrlas, necesitamos unas metas que representan una aspiración y otras que nos sentimos seguros de que podemos lograr. En mi caso, decidí enfocarme y hacer un seguimiento de tres aspectos de mi vida para documentar mi progreso: peso, ropa y salud en general.

Peso. A pesar de que el peso es fácil de cuantificar, es difícil proponerse una meta razonable. A menudo, las metas que nos fijamos son demasiado ambiciosas tanto en el monto del peso que queremos perder y el plazo. Como resultado, nos condenamos al fracaso si nos ponemos metas como perder diez libras en un mes o ver qué tan rápido podemos perder peso o quién puede perder más peso en un periodo determinado. Hay evidencias de que, para la mayoría de gente, perder de 5% a 7% de su peso corporal puede tener un impacto positivo en su salud. Tal vez suene raro, pero las expectativas razonables son mejores para un control exitoso del peso. ¿Qué significa esto?

Como solo tenía tres meses antes de la boda de mi amiga, decidí que perder 4% de mi peso era una buena meta. Cuando alcancé mi meta, me sorprendió lo bien que me sentía. Y aunque había planeado terminar mi plan en ese momento, decidí continuarlo para ver lo que pasaba si seguía usando las estrategias que había adoptado. Cuando vi los números del BMI de la calculadora en internet del NHLBI, me di cuenta de que era improbable para mí alcanzar el nivel de peso normal o nivel de sobrepeso. En lugar de desanimarme, decidí que la Obesidad Clase I era una meta razonable. No tenía que llegar a ese nivel, pero lo mantendría como un punto de referencia.

Peso (lbs.)	BMI	% Perdido	Categoria
237	42.0	0%	Obesidad (Clase III)
227	40.2	4%	Obesidad (Clase III)
217	38.4	8%	Obesidad (Clase II)
207	36.7	13%	Obesidad (Clase II)
197	34.9	17%	Obesidad (Clase I)
169	29.9	29%	Sobrepeso
140	24.8	41%	Normal

Hacía 20 años que no pesaba menos de 200 libras. Pero decidí que este era mi plan y que haría lo que pudiera. Tomé la decisión de continuar con mi nuevo conocimiento sobre cómo aceptar el hambre leve y ver hasta dónde llegaría. Me esforzaría para pesar menos de 197 libras en los siguientes doce meses. Y dados mis antecedentes, pesar cerca de 200 libras sería un logro. Mi meta era seguir tratando de ser tan saludable como pudiera en el entendimiento de que habría retrocesos y periodos sin progreso.

Ropa. Saber cómo me quedaba la ropa sería un indicador general de mi progreso. Sé que algunas personas usan la misma talla a pesar de subir o bajar de peso, mientras otras usan diferentes tallas aunque su peso no varíe. Y una de mis amigas estaba tan avergonzada de su talla que cortaba todas las etiquetas de su ropa para que nadie supiera qué talla usaba. Felizmente aprendí muy temprano en la vida que la ropa se compra porque nos queda bien, no por la talla. A mí no me importaba si era 18W o 22W.

Salud general. Una cosa es decir que *va* a sentirse mejor y otra cosa es *sentirse* mejor de verdad. Para cuando alcancé mi meta inicial, me *sentía* mejor. Aunque sabía que sentirme mejor sería una consecuencia que aparecería con el tiempo, no tenía idea de cuánta mejoría sentiría.

Cada vez me preocupaba más mi capacidad de moverme. Nunca fui corredora, pero me dolían las rodillas. Ahí entendí por qué el remplazo de rodillas es tan común en personas mayores en Estados Unidos. El desgaste produce osteoartritis, como consecuencia de que la gente trata de seguir moviéndose a pesar de su peso. Con el tiempo, es natural que el cartílago se desgaste. Ya sea por la edad, lesiones pasadas, problemas de salud o herencia, las rodillas ya no funcionan tan bien. Perder diez libras no parece mucho, pero mis rodillas sintieron una enorme diferencia. Me di cuenta de que mis rodillas no me dolían tanto.

La meta es sentirse mejor. El reto es no solo enfocarse en la apariencia o las fotos que se usan para mostrar los resultados dramáticos de algún suplemento o dieta de turno. En mi caso, perder cuarenta libras no tuvo el efecto dramático en mi apariencia que se podía esperar. Eso puede desalentar a algunos pero, para mí, perder peso era cuestión de mejorar mi salud y sentirme mejor.

Ya que las metas son mejorar la salud y sentirse mejor, las preguntas importantes que usted se debe hacer son: ¿Cómo se siente? ¿Qué le dice el corazón? ¿Puede hacer más de lo que le gusta? ¿Qué le dice el proveedor de servicios de salud sobre su salud en general?

Hay muchos factores que usted debe considerar al crear su propio plan. Antes de empezar, comparto con usted consejos clave:

1. Vea a su proveedor de servicios de salud antes de empezar cualquier programa de ejercicio o alimentación saludable.

2. Perder 10-15 libras lo hará sentirse mejor.

3. Perder media libra a la semana es muy ambicioso.

4. Habrá semanas en que su peso no cambiará, a pesar de seguir el plan al pie de la letra. A veces toma meses para ver cambios.

5. Llegar a su meta de peso es difícil. Mantener ese peso es incluso más difícil.

6. Tal vez su apariencia física no cambie dramáticamente, pero usted sentirá los cambios, pues podrá moverse con más facilidad durante el día.

7. Asegúrese de dormir lo necesario. Los estudios demuestran que la gente que no duerme bien, engorda.

8. Lo que funcionó para usted en el pasado, tal vez no funcione para usted en el presente.

Para tener éxito, las nuevas conductas que adopte deben volverse hábitos para toda la vida. Piense en lo que hace para tener buena dentadura. Tiene que dedicarle tiempo todos los días y va al dentista periódicamente. Tal vez un día no use el hilo dental, pero lo tiene que hacer después. Es lo mismo con el peso. Tiene que dedicarle tiempo todos los días para mantener la salud corporal. A diferencia de los dientes, no se puede remplazar todo el cuerpo. Cuide lo que tiene.

[1]Fildes, A., Charlton, J., Rudisill, C., Littlejohns, P., Prevost, A.T. y Gulliford, M.C. "Probability of an Obese Person Attaining Normal Body Weight: Cohort Study Using Electronic Health Records," *American Journal of Public Health*. Publicado en internet antes de impresión, 16 de julio, 2015.

[2]http://www.thefreedictionary.com/willpower. Acceso: 12 de mayo, 2015.

[3]Washington, R.L. "Childhood obesity: issues of weight bias," *Preventing Chronic Disease* 2011; 8(5):A94. http://www.cdc.gov/pcd/issues/2011/sep /10_0281.htm. Acceso: 15 dejulio, 2015.

[4]Puhl, R.M. y Heuer, C.A. "Obesity Stigma: Important Considerations for Public Health," *American Journal of Public Health*. Junio 2010, Vol. 100, Número 6, Páginas 1019–1028.

[5]Garrow, J.S. y Webster, J. "Quetelet's index (W/H2) as a measure of fatness," *International Journal of Obesity* 1985 Vol.9, Número 2, Páginas 147-53.

[6]Quetelet LAJ. *Physique sociale 2*, p. 92. Brussels: C. Muquardt, 1869.

[7]Magkos, F.; Fraterrigo, G.; Yoshino, J.; Luecking, C.; Kirbach, K.; Kelly, S.C.; de las Fuentes, L.; He, S.: Okunade, A.L.; Patterson, B.W. y Klein, S. "Effects of Moderate and Subsequent Progressive Weight Loss on Metabolic Function and Adipose Tissue Biology in Humans with Obesity." *Cell Metabolism* 23, 1–11, 12 de abril, 2016 DOI: http://dx.doi.org/10.1016/j.cmet.2016.02.005

[8]Flegal, K.M. "Supplemental Analyses for Estimates of Excess Deaths Associated with Underweight, Overweight, and Obesity in the U.S. Population," *NCHS Health E-Stat,* 7 de enero, 2010.

[9]Flegal, K.M.; Kit, B.K.; Orpana, H. y Graubard, B.I. "Association of All-Cause Mortality With Overweight and Obesity Using Standard Body Mass Index Categories: A Systematic Review and Meta-analysis," *JAMA,* 2 de enero, 2013, Vol. 309, Número 1, Páginas 71-82.

[10]Kitahara, C.M.; Flint, A.J.; Berrington de González, A.; Bernstein, L.; Brotzman, M.; MacInnis, R.J.; Moore, S.C.; Robien, K.; Rosenberg, P. S.; Singh, P.N.; Weiderpass, E.; Adami, H.O.; Anton-Culver, H.; Ballard-Barbash, R.; Buring, J.E.; Freedman, D.M.; Fraser, G.E.; Beane Freeman, L.E.; Gapstur, S.M.; Gaziano, J.M.; Giles, G.G.; Håkansson, N.; Hoppin, J.A.; Hu, F.B.; Koenig, K.; Linet, M.S.; Park, Y.; Patel, A.V.; Purdue, M.P.; Schairer, C.; Sesso, H.D.; Visvanathan, K.; White, E.; Wolk, A.; Zeleniuch-Jacquotte, A. y Hartge P. "Association between Class III Obesity (BMI of 40-59 kg/m2) and Mortality: A Pooled Analysis of 20 Prospective Studies," *PLoS Med.* 2014; 11(7): DOI: http://dx.doi.org/10.1371/journal.pmed.1001673.

[11]Hutley, L. y Prins, J.B. "Fat as an Endocrine Organ: Relationship to the Metabolic Syndrome," *American Journal of the Medical Sciences.* Diciembre 2005, Vol. 330, Número 6, Páginas 280-9.

[12]"About Adult BMI." Acceso: 15 de mayo, 2015. http://www.cdc.gov/healthyweight/assessing/bmi/adult_bmi/index.html

[13]National Heart, Lung, and Blood Institute (NHLBI). Acceso: 25 de julio, 2015. http://www.nhlbi.nih.gov/health/educational/lose_wt/risk.htm

[14]Sahakyan, K.R.; Somers, V.K.; Rodríguez-Escudero, J.P.; Hodge, D.O.; Carter, R.E.; Sochor, O.; Coutinho, T.; Jensen, M.D.; Roger, V.L.; Singh, P. y López-Jiménez, F. "Normal-Weight Central Obesity: Implications for Total and Cardiovascular Mortality." *Annals of Internal Medicine.* 10 de noviembre, 2015. DOI: http://dx.doi.org/10.7326/M14-2525

[15]Krakauer, N.Y. y Krakauer, J.C. "A New Body Shape Index Predicts Mortality Hazard Independently of Body Mass Index," *PLoS ONE.* 7(7): 18 de julio, 2012. Vol. 7, Número 7, Páginas 1-10. DOI: http://dx.doi.org/10.1371/journal.pone.0039504

CAPÍTULO 2

Sensación de hambre

Me encanta la variedad de productos que ofrece el mercado de agricultores que funciona los fines de semana. Las verduras vienen de fincas locales, los quesos se elaboran pocas horas antes, y todos los productos de panadería todavía tienen ese aroma de recién salidos del horno. Además de estas delicias, venden alimentos preparados como paella, crepas y tocino de borrego. Todo se ve excelente y delicioso. Los aromas son totalmente seductores.

Disfruto la comida desde que nací. Mi madre me contó que incluso de bebé, sonreía y hacía sonidos de placer cuando comía. Me escuchaba decir "mmmm" y sabía que estaba disfrutando la comida. Todavía me encanta la comida, y aprecio el hecho de que recibir nutrientes es solo una de las consecuencias positivas de la experiencia de comer.

Esto significa que acepto que como por muchas razones, y la nutrición es solo una de ellas. Lo que aprendí es que tener éxito en el control del peso depende totalmente de aprender nuevas maneras de experimentar los alimentos que comemos.

Para empezar, tenemos que reconocer que, ya que la comida estimula todos nuestros sentidos, necesitamos enfocarnos en la interacción entre nuestros sentidos y lo que comemos y cómo lo comemos. Debemos comer algo porque todos nuestros sentidos participan en la experiencia: se ve atractivo, el aroma es familiar, cuando lo probamos podemos disfrutar de los sabores, cuando lo tocamos es una experiencia casi primitiva, cuando oímos que cruje, sabemos que es fresco y delicioso. Todo esto incrementa la sensación de que lo que comemos es una delicia. Además de la experiencia sensorial que proporciona, la comida también evoca recuerdos, tanto buenos como no tan buenos.

No hay duda de que todo el cerebro participa en el acto de comer. Es la variedad de combinaciones de sentidos y experiencias que hacen que el tocino le parezca delicioso a una persona, y absolutamente repulsivo para otra. Por eso cada persona tiene sus alimentos preferidos para consolarse. Para unos tal vez sea sopa de tomate de lata con un sándwich de queso fundido, y para otros puede ser chocolate caliente. Nuestros alimentos y bebidas preferidos no solo reflejan la necesidad de nutrición e hidratación. La comida estimula todo tipo de sensaciones y sentimientos. Por eso, cuando tratamos de controlar nuestro peso, debemos pensar en qué comida nos atrae y nos motiva a comer. Es la totalidad de la experiencia (cultura, publicidad, azúcar, grasa y nuestra propia biología) lo que nos hace comer. Para cambiar cómo hacemos algo, primero tenemos que reconocer qué estamos haciendo y por qué.

Junto con todas las sensaciones que experimentamos al comer, hay dos factores que influyen en la cantidad que comemos. Estas fuerzas dinámicas son sentirse lleno (saciedad) y sentir hambre.

¿En realidad, cuánto tengo que comer para sentirme lleno? Pensé en las razones que me hacían comer y cómo comía. Cuando quería perder peso, contaba carbohidratos, contaba calorías, hacía más ejercicio, tomaba agua y hacía todas las cosas que sabía me iban a hacer sentir satisfecha. También reconocía que había algo más que tenía que hacer. Pronto me di cuenta de que no sabía lo que realmente significaba "llena". ¿Cuánto tenía que comer para sentirme llena?

Por años me repetí el mantra de que si 1 es estar muerto de hambre y 10 es repleto, con la sensación de sofoco que viene de comer demasiado, entonces, la meta era 5. Los japoneses tienen una expresión común: *hara hachi bu,* que significa llenarse el estómago *(hara)* hasta el 80%. El cerebro suele tomarse cierto tiempo para darse cuenta de que estamos llenos, de modo que si nos detenemos en 80%, a menudo nos damos cuenta poco después de que ya estábamos saciados.

La meta es la saciedad. Mientras pensaba en lo que significaba estar lleno, me di cuenta de que, tal vez, no sabía realmente lo que eso significaba. Empecé a pensar en las dimensiones del estómago cuando está lleno. Recordaba haber escuchado comentar a algunas personas, que su estómago se había agrandado porque estaban acostumbradas a comer demasiado. Pensé en las imágenes de gente compitiendo en concursos de quién come más.

¿Ha visto alguna vez videos de concursos de comida en que la gente se embute más salchichas en la garganta de las que la mayoría podría comer en una semana? No sé cómo es posible, especialmente porque la mayoría de los concursantes no son gordos.

La biología humana es tal que el tamaño del estómago no tiene nada que ver con su peso o cintura. Muchos se asombran de saber que la mayoría de los estómagos son del mismo tamaño. El estómago usualmente puede contener 1.4 litros (1 ½ cuartos de galón) de alimentos o líquido, pero se puede estirar y contraer. Puede reducirse hasta una onza y estirarse hasta contener un galón, en cuyo caso, está cerca del punto de ruptura.

Aunque el estómago es de un tamaño modesto, los intestinos son larguísimos. El intestino delgado mide una pulgada de diámetro y 20 pies de largo, y puede contener 188 pulgadas cúbicas o 3 litros. El intestino grueso tiene 3 pulgadas de diámetro y 5 pies de largo y puede contener 424 pulgadas cúbicas o 6.9 litros. Eso significa que su cuerpo tiene capacidad para mucho más comida de la que usted realmente necesita.

Esta información motivó muchas preguntas. ¿Qué es lo que realmente significa estar lleno? ¿Qué tan lleno es lleno? ¿Por qué algunas personas no saben cuándo están llenas? Tal vez algún trastorno subyacente dificulta que algunas personas se den cuenta de que están llenas.

O tal vez la razón de por qué resultaba difícil saber lo que significaba estar "lleno" era porque algunas personas se habían vuelto adictas a la comida: en otras palabras, la comida era su droga. Según el Instituto Nacional sobre el Abuso de Drogas, la adicción es "una enfermedad del cerebro, crónica, que presenta recaídas y se caracteriza por la búsqueda y uso compulsivo de la droga, a pesar de las consecuencias nocivas. Se considera una enfermedad del cerebro porque las drogas alteran el cerebro; cambian su estructura y la forma en que opera.

Estos cambios en el cerebro pueden ser duraderos y pueden ocasionar muchas conductas peligrosas y a menudo auto destructivas".[1] Esta definición no parecía aplicarse a mí ni a las personas que conocía que estaban tratando de controlar lo que comían.

A medida que lo pensaba más, me di cuenta de que la razón por la que la definición de adicción no parecía aplicable era porque la mayoría de los estudios sobre adicción se enfocan en sustancias (drogas o alcohol) o conductas (apuestas o sexo) que no son biológicamente esenciales para la vida. Simplemente no se puede dejar de comer, porque se tiene que comer para seguir con vida. Por eso la mayoría de las adicciones son diferentes de lo que muchos sentimos respecto a la comida o el comer.

Por ejemplo, en el nivel más básico, un enfoque posible para tratar adiciones es simplemente abstenerse o "parar en seco". Ese enfoque no funcionaría con la comida. Sería irracional, si no peligroso e irresponsable, pedirles a las personas que, para controlar su peso, renuncien a comer. Por eso la investigación que se enfoca en establecer una analogía entre comer y la adicción a las drogas no me parece relevante. El modelo de adicción no ayudó a comprender por qué la gente tiene problemas para controlar su peso. La necesidad de alimentos está arraigada en un imperativo biológico.

A medida que investigué más, hice un análisis de lo que se sabe de los "atracones de comida" (*binge eating*). Aunque se lee mucho en los medios sobre este trastorno de la alimentación, me di cuenta de que la mayoría de gente que desea adelgazar para mejorar su salud, no practica lo que se describe clínicamente como "atracones de comida". A pesar de que los "atracones de comida" son el trastorno más común de la alimentación en Estados Unidos, el número absoluto de personas que presenta este tipo de conducta realmente es muy bajo. Lo que sabemos es que los atracones de comida son más comunes en mujeres que hombres y que, interesantemente, las mujeres se ven afectadas como adultas jóvenes, y los hombres durante la mediana edad. Una persona con el trastorno de atracones de comida:

- come grandes cantidades de comida en un corto periodo, por ejemplo, cada dos horas.
- no es capaz de detener el atracón de comida, por ejemplo, no puede parar de comer ni controlar la cantidad de comida.
- come muy rápido en cada incidente.
- sigue comiendo incluso si está repleta o hasta que está incómodamente llena
- come sin sentir hambre.
- come sola (en secreto)
- se siente culpable, disgustada, avergonzada o deprimida después de comer tanto.

A pesar de que todavía se desconoce la causa exacta de los atracones de comida, lo que sí sabemos es que hay muchos factores que los pueden desencadenar. Entre las causas posibles está alguna característica heredada de un familiar cercano que también tiene problemas para controlar su peso, cambios en los químicos del cerebro, emociones negativas (estar molesto o estresado), depresión o incluso ponerse a dieta de manera poco saludable, sin consumir alimentos nutritivos o saltándose comidas. Alguien que realmente se atraca de comida, debe buscar ayuda y apoyo de un profesional de salud mental.

Por supuesto, también hay algunos trastornos genéticos sumamente raros que causan que las personas coman en exceso sin importar lo llenas que estén. Estas personas tienen un problema con el segmento del cromosoma 15 (síndrome de Prader-Willi) desde su concepción. Este problema genético causa que ganen peso.

La investigación ha demostrado que algunas personas con exceso de peso no tienen la misma capacidad de darse cuenta que están llenas (saciedad) como la gente de peso normal.[2] Tal vez, saber que estamos llenos es mucho más difícil de lo que pensamos. Conocer las necesidades de nuestro cuerpo es muy importante para la salud, pero saber cuándo estamos llenos es igualmente importante. La respuesta está en saber cuándo tenemos hambre y reconocer que hay diferentes niveles de hambre. Tomar conciencia de esto es la clave para poder comer una cantidad saludable de comida en el momento correcto.

Sobre sentir hambre

Estaba pagando mis compras en una conocida tienda de departamentos cuando empecé a hojear las páginas de una revista de modas de esas que ponen cerca de la caja. Mientras miraba las caras de las modelos, le comenté a mi amiga: "No sé por qué las modelos tienen esas expresiones faciales. Se ven descontentas y hasta malhumoradas". La elegante vendedora contestó inmediatamente, sin siquiera apartar los ojos de la caja registradora: "Se ven así porque tienen hambre".

Mientras veía la siguiente foto, me imaginé un globo de diálogo sobre la cabeza de la modelo diciendo: "Me muero de hambre". Cuantas más páginas hojeaba y veía la diferente publicidad, más claro era que la mayoría de las modelos tenían una expresión que decía: "Tengo hambre" o "no he comido en varios días". Y en esas pocas páginas donde la imagen incluía una cara más feliz, el globo de diálogo podía decir: "Por fin... ¡veo comida a la distancia!" o "¡Sí, una hamburguesa con queso!"

33

Sé que vivimos en una sociedad que idolatra la delgadez, la excesiva delgadez. Celebrar las imágenes de cuerpos distorsionados es tan dañino como creer que una mujer no puede ser demasiado delgada. De hecho, me dan pena las muchas modelos que deben estar tan debajo del peso normal para conservar su empleo. Recientemente, la muerte de algunas conocidas modelos incluso llevó a que varios países declararan ilegal el uso de modelos demasiado delgadas.

Sin embargo, las imágenes que están por todos lados son predominantemente de gente que parece que tiene mucha hambre a pesar de llevar ropa cara y usar mucho maquillaje. Si las mismas modelos lucieran harapos, las imágenes se interpretarían como desnutrición. No tiene sentido idolatrar la delgadez y denigrar el hambre al mismo tiempo.

Para la mayoría de nosotros, sentir hambre es malo y es una situación que se debe evitar. Si usted tiene hambre, come, porque desea evitar sentir más hambre. Lo que es peor, si alguien no puede satisfacer su hambre, esto parece implicar que no tiene los medios para mantenerse. El hambre significa haber fracasado de alguna manera.

Sin embargo, empecé a pensar que tal vez el hambre puede desempeñar una función en la alimentación saludable. Todos sabemos que la sensación de hambre es una necesidad básica que tiende a tener prioridad por sobre los otros sentidos e incluso la razón. Cuando alguien realmente tiene hambre, la necesidad de satisfacerla prevalece por sobre todo lo demás. La clave es aprender a distinguir entre si realmente tiene hambre o si el hambre se origina en malos hábitos de alimentación.

El concepto francés de hambre es diferente del concepto norteamericano… nosotros valoramos el hambre como una manera de apreciar más integralmente lo que comemos. Dra. France Bellisle, 2007.[3]

Recuerdo perfectamente cuando la Dra. Bellisle pronunció esas palabras. Estábamos en una reunión hablando de alimentación saludable y pensé que tenía toda la razón. Decir que el hambre es aceptable atenta contra todos nuestros principios. ¿Cómo es posible que alguien valore el hambre? La idea de que para comer de manera saludable debemos tener hambre resultaba desconcertante y provocativa a la vez. Me pregunté si lo que revelaban sus palabras podía resultar útil a la gente que estaba tratando de controlar su peso. Tal vez la razón de que los franceses fueran más delgados tenía más que ver con la manera en que se relacionaban con la comida. ¿Los franceses realmente aceptaban el hambre como un estado cómodo?

En mi experiencia personal y en la de muchas mujeres y hombres que me hablaron mientras luchaban por controlar su peso, la sensación de hambre no llevó a una mayor apreciación de la comida. Solo nos hizo querer comer más. Tener hambre significaba que necesitábamos comer inmediatamente. Lo que es peor, muchas personas sentían tanta hambre que probablemente comían todo lo que les ponían enfrente. El hambre desencadenaba comer sin pensar. Un buffet ya no era una mesa con diferentes opciones de comida, sino la oportunidad de darse un atracón. Sin embargo, el comentario de la Dra. Bellisle resonaba en mi mente. Parte de mí sentía que había cierta verdad en sus palabras.

Aunque comemos, obviamente, para nutrirnos, nuestras conductas y pensamientos sobre cuándo comer y qué comer se basan en muchos otros factores. Todos sabemos que el hambre impulsa y motiva el deseo de comer. Los cazadores y recolectores no realizaban sus faenas por placer, sino por supervivencia. Cuando pensamos en las razones para comer, encontramos que hay muchas. Tal vez algunos de nosotros solo comemos para nutrirnos, pero otros experimentan el hambre por placer, esto es, el deseo de comer cuando no hay necesidad de llenar nuestras reservas de energía. Comemos por muchas razones, y de mis conversaciones con otros comprendí que el hambre significa muchas cosas.

Mi comprensión de diferentes idiomas me hizo particularmente sensible al concepto de que las palabras tienen significados culturales más profundos. El significado de una palabra tiene una profundidad que es la combinación de la traducción literal que proporciona una computadora, la intención del hablante y el arte de expresar sutilezas. Se dice que una foto vale mil palabras, pero una palabra cuidadosamente escogida puede generar mil imágenes. La palabra "hambre" es una de esas palabras especiales. Lo que significa tiene una raíz cultural.

En sus estudios, los investigadores P.J. Rogers y C.A. Hardman definen hambre como la ausencia de saciedad.[4] Ciertamente, la palabra "*hunger*" ("hambre") en inglés, y más específicamente para quienes viven en Estados Unidos, tiene una connotación negativa. Por eso algunas entidades filantrópicas recaudan exitosamente dinero mostrando imágenes de gente que se ve hambrienta y desnutrida. No queremos que nadie tenga hambre, y el mensaje clave es que el hambre es un estado que debe evitarse a toda costa. Si una persona tiene hambre, creemos que nadie la cuida y que no puede cubrir sus necesidades básicas. Esta creencia es incluso más común entre inmigrantes o hijos de inmigrantes.

Estoy segura de que la Dra. Bellisle no quería decir que en Francia estaba bien morirse de hambre.

Para entender mejor su comentario anterior, hablé con la Dra. Bellisle para preguntarle sobre lo que dijo años atrás respecto al hambre. Dijo que recordaba exactamente su comentario y lo explicó diciendo: "por supuesto, se refiere a un hambre leve, el tipo de hambre que la gente normalmente siente entre comidas. Es agradable sentir hambre al inicio de una comida".

Era una sutileza lingüística y cultural. Darle al concepto de hambre una connotación más positiva era esencial. El nuevo significado estaba más cerca de "anhelo" que de "hambre". El hambre leve no era algo que yo siquiera detectaba. Al igual que la mayoría de personas, el hambre para mí era una sensación fuerte o no era hambre. Cuando había hambre, era el momento de comer. Tuve que aprender a recalibrar el hambre, aprender a reconocer que hay niveles de hambre que van desde aceptable a inaceptable. Y tuve que aprender a aceptar que tener un poco de hambre estaba bien.

Cambiar la forma de pensar era esencial, y con ello vino la práctica de empezar a aceptar el hambre leve.

Durante años, yo recomendaba modificar lo que comemos usando una escala de puntos del 1-10, donde

1 era muerto de hambre y 10 era repleto. La meta era saber cuándo había alcanzado el nivel 5. Esto todavía es importante. Pero ahora había una dimensión adicional que había estado buscando. Para controlar mi peso, me enseñaría a mí misma a pensar que estaba bien sentir un poco de hambre. Estaba bien estar al nivel 4. Tenía que reaprender que cuando deseaba comida, no tenía que satisfacer el hambre de inmediato, ni tenía que repletarme cada vez que comía. Podía esperar hasta la próxima comida y consumir una cantidad razonable de alimentos.

Me tomó mucho trabajo aprender cuál era el nivel aceptable de hambre leve para mí y para mi cuerpo. No quería tener un dolor de cabeza por hambre, ni posponer la comida hasta sentir que me desmayaba. Tenía que aprender de nuevo cuándo comer. Ya sabía cuánto comer y la importancia del ejercicio, pero ahora tenía que enseñarme a mí misma que sentir hambre estaba bien. Por supuesto, cuando mis amigos me preguntaban cómo perdí peso, les respondía que uno de mis nuevos hábitos era que aprendí a disfrutar el hambre. La reacción típica era incredulidad o que tuve que haber hecho otra cosa. Pero de verdad, no hay otra manera. El peso de las personas va y viene porque vuelven a comer de la manera en que lo hacían antes. Tal vez aprendieron qué comer, pero nunca aprendieron a disfrutar el hambre leve.

Aprendí que si no como inmediatamente cuando siento hambre, y solo espero un poquito, tiendo a no comer tanto. Es como si esperar un ratito disminuyera mi sensación de hambre. Para mí es muy útil no responder a la sensación inicial de "tengo hambre". Alice.

La gente puede aprender nuevos patrones de alimentación y a aumentar su actividad física, pero el efecto de bumerán (volver a recuperar el peso perdido) es inevitable a menos de que hagan un cambio enorme en sus hábitos sobre cuándo comer y cuánto. Aprender a disfrutar el hambre fue ese cambio tremendo en mi forma de pensar y actuar.

Darme permiso para sentir hambre fue diferente. Al principio fue difícil, pero aceptar el hambre leve cambió todo.

¿Qué significaba tener hambre? Bueno, no estaba segura de lo que significaba, ya que estaba acostumbrada a comer siempre que tenía hambre. Y muchas veces sentía hambre pero rara vez esa sensación duraba mucho tiempo. El hambre era una sensación que tenía que aprender a calibrar para poder vivir con ella. Luego se me hizo muy claro que el hambre no es una sensación de "todo o nada", sino que hay niveles. El reto era aprender que estaba bien sentir hambre leve.

La Dra. Bellisle aclaró cuál era el hambre aceptable. "[Es] moderada en intensidad pero también de duración corta. Ocurre unos pocos minutos, o incluso una hora, antes de una comida (u ocasión para comer), cuando es maravilloso tener apetito. La idea no es tolerar el dolor ni la angustia; es ser consciente de las sensaciones corporales que acompañan las fluctuaciones normales del apetito. Si usted quiere experimentar la saciedad (y disfrutarla), entonces es normal experimentar también el hambre (con la esperanza de que pueda disfrutar una sensación moderada y fugaz de "anhelo" que es como la literatura científica reciente lo describe)".[5]

Dio un ejemplo de su propia experiencia: "Personalmente, disfruto la sensación moderada de hambre que estoy sintiendo ahora mismo, mientras escribo esta carta a las 11:22 de la mañana. Desayuné a las 7 y voy a gozar de un almuerzo satisfactorio y sabroso en aproximadamente una hora, y francamente, estoy muy complacida de sentir la necesidad de comida. Si usted analiza la sensación, no es desagradable en lo absoluto. La respuesta adecuada aquí no es correr al refrigerador, sino sentarse y disfrutarla".

Fue muy interesante cómo respondieron mis amigos y colegas durante los primeros meses cuando estaba intentando este nuevo enfoque para comer. Cuando las personas me preguntaban: "¿Cómo estás?", les respondía con un sincero "Estoy con hambre". Me asombraban las reacciones, porque no era la respuesta que esperaban. Muchos se veían incómodos con ella. La mayoría se veían desconcertados y algunos me ofrecían traerme algo para comer. A mis amigos y colegas les costaba entender que realmente tenía hambre pero que estaba bien. No sabían cómo responder.

Algunas de las reacciones me dieron qué pensar. Recibí muchas sugerencias sobre qué comer para sentir menos hambre, desde col rizada a fruta. Otra respuesta común era: "Tomará algunas semanas, pero luego ya no vas a sentir hambre". Y mi respuesta usual era: "No, tengo esta sensación de hambre hace meses y está bien. Será así por el resto de mi vida. Aprecio sentir un poco de hambre, y ahora cuando como, disfruto la comida aun más".

Esa fue la nueva gran revelación para controlar mi peso. Tenía que aprender que estaba bien sentir un poco de hambre.

Siempre había contado calorías y carbohidratos, y había seguido todo tipo de planes para perder peso.

Había aumentado el ejercicio y me había asegurado de que estaba sana, pero no había logrado perder peso y no recuperarlo.

Esta vez, lo que tuvo un gran impacto fue aprender que el hambre leve es parte del placer de comer y que es un hábito esencial para mantener un peso saludable. Esto debía incorporarse para siempre a mi vida a fin de tener una relación saludable con la comida. Para facilitarme las cosas, encontré varias cosas que hacer cuando tenía un poco de hambre y cosas que tenía que evitar.

Qué hacer cuando tienes un poco de hambre

Aprender a aceptar un poco de hambre es cuestión de práctica. Uno tiene que acostumbrarse. Tener un poco de hambre debe ser una señal para hacer algo diferente que sea constructivo. Es crucial hacer algo que le *guste* en lugar de satisfacer su hambre leve. En lugar de comer cuando siente un poco de hambre, debe *ocuparse* con algo que no está relacionado con comida. Encuentre la actividad que funciona mejor para usted. Algunas cosas que puede considerar:

1. Comunicarse con otros.
2. Enviar un mensaje de texto.
3. Hojear el internet.
4. Ver cosas que le gustan en tiendas o por internet.

5. Usar mi MyFitnessPal para planificar su próxima comida.
6. Leer un libro.
7. Tomar un vaso de agua, café o té.
8. Revisar si llegaron mensajes a su bandeja de entrada.
9. Salir a caminar.
10. Pasear a su perro.
11. Conversar con familiares, amigos o colegas.
12. Hacer el lavado.
13. Limpiar u organizar un clóset, escritorio o cajón.
14. Llamar a alguien con quien no habla hace un tiempo.
15. Empezar a preparar ese plato que toma tiempo cocinar.
16. Escribir una carta o correo electrónico largo a un amigo.
17. Ver una película.
18. Dar una vuelta en auto.
19. Ayudar a alguien con un proyecto pequeño.
20. Terminar un proyecto.

Lugares que debe evitar cuando tiene hambre
- la cocina
- lugares donde hay comida rica
- lugares donde hay olor a comida
- lugares donde dan muestras de comida
- el supermercado

[1]National Institute on Drug Abuse. Acceso: 17 de abril, 2015 http://www.drugabuse.gov/publications/media-guide/science-drug-abuse-addiction-basics

[2]Herbert, B.M. y Pollatos, O. "Attenuated Interoceptive Sensitivity in Overweight and Obese Ondividuals," *Eating Behaviors* Vol. 15(3), agosto, 2014, Páginas 445-448. doi: http://dx.doi.org/10.1016/j.eatbeh.2014.06.002

[3]Bellisle, France. Comunicación personal por correo electrónico. 17 de marzo, 2015

[4]Rogers, P.J. y Hardman, C.A. "Food Reward. "What It Is and How to Measure It." *Appetite*, Vol. 90, 1ero de julio, 2015, Páginas 136-143 doi: http://dx.doi.org/10.1016/j.appet.2015.02.032

[5]Bellisle, France. Comunicación personal por correo electrónico. 8 de febrero, 2016.

CAPÍTULO 3

Domine las fuerzas externas que lo hacen comer

Como sicóloga y como alguien que empezó con el deseo de perder la modesta cantidad de 10 libras, sabía que si quería tener éxito, tendría que aplicar teorías de conducta, que sé que son muy eficaces en otras áreas, para poder controlar mi peso. Desafortunadamente, **estaba claro que aunque algunos programas para perder peso se ven prometedores, no había ninguna certeza respecto a lo que realmente sería eficaz para cada persona.**[1]

Yo sabía esto de todos los estudios, pero también porque soy la persona típica que sigue un plan por un tiempo y luego se detiene. Los programas para perder peso pueden ser elegantes e intelectualmente seductores, pero fracasaron conmigo y con muchos otros. Quería encontrar una respuesta. Esto no se trataba de una teoría sobre la pérdida de peso o un programa en particular para perder peso; esto se trataba de mi vida.

Cada vez que intentaba separar los ejercicios intelectuales de la aplicación práctica, siempre me asombraba confirmar que cambiar la conducta personal es muy difícil, incluso cuando se quiere cambiar. Mi trabajo clínico de décadas me hizo apreciar el arduo trabajo de mis pacientes fuera de nuestras sesiones de una hora. Mis pacientes quieren cambiar algún aspecto de su vida, pero incluso con toda la motivación personal, es muy difícil. Es tan esencial enseñarles los factores que los empujan en la dirección incorrecta como enseñarles nuevas destrezas. Igualmente importante, o tal vez más, es trabajar con ellos para darles un nuevo enfoque mental o marco para aplicar las nuevas destrezas.

Cuando luchaba con la idea de cómo iba a perder esas libras iniciales, me di cuenta de que, para mantener un peso saludable, era esencial establecer una nueva manera de relacionarse con la comida. Mi reto era investigar todos los factores existentes que me llevaban a comer demasiado, y luego, descifrar lo que preservaba esta conducta indeseable.

Aunque había muchas barreras, sabía que la falta de conocimiento sobre qué comer y qué hacer no era el problema. Como la mayoría de personas que han tenido que controlar su peso, podía distinguir entre alimentos sanos y nocivos, y sabía cuántas calorías tenían la mayoría de los alimentos que comía. Esto es verdad para muchos de nosotros que hemos tratado de mantener un peso saludable. La mayoría de personas parecían saber qué comer y cuánto comer. De manera similar, las personas estaban conscientes de que era importante hacer ejercicio. Tenían el conocimiento para decir lo que querían hacer, pero eran incapaces de hacerlo.

Décadas de investigación conductual demuestran que el conocimiento por sí solo no es suficiente para cambiar nuestra conducta al comer. Incluso el conocimiento por sí mismo no nos lleva a cambiar lo que hacemos. Hay muchos aspectos de nuestra vida diaria que dificultan que apliquemos los hechos que conocemos. Lo que es más importante es que hay aspectos clave del mundo en que vivimos que desempeñan funciones singulares y esenciales en nuestra capacidad de usar nuestro conocimiento para controlar qué y cuándo comemos. Nuestra cultura y el papel de la publicidad son dos fuerzas externas que nos hacen comer cuando no tenemos hambre.

Cultura

La cultura es algo en que pensamos cuando miramos a los otros. Estudiamos conductas sexuales de personas que viven en otros lugares, examinamos el arte culinario de personas que consideran que la preparación de comida es una actividad familiar y, con demasiada frecuencia, sacamos conclusiones que no son tan relevantes, pero demuestran prejuicios. De todos modos, cada uno es parte de una cultura o muchas culturas, y comprender el impacto de la cultura en nuestras decisiones es esencial.

Todo lo que pensamos, decimos y hacemos está envuelto en cultura y el contexto cultural en que nos encontramos. Para algunos, la cultura es un elemento formativo, pero para otros, es una fuente de grandes conflictos y turbulencia. Sea cual fuere el caso, lo que hacemos no se da en el vacío. Las interacciones que tenemos unos con otros ayudan a definir lo que constituye nuestra vida diaria.

En particular, la cultura impulsa y define nuestra relación con la comida. La vida en una cultura en especial se expresa a través de cuándo comemos, qué comemos, cuánto comemos, e incluso el significado de ciertos alimentos. Las relaciones personales, aunque a veces sutiles, son poderosos factores que determinan nuestra propia conducta al comer.

Por ejemplo, la mayoría de las celebraciones incluyen comer como parte de la experiencia comunal. No comer un pedazo de pastel en una fiesta de cumpleaños puede ser considerado una descortesía. Si va a una boda y no come el pastel, realmente no está celebrando con la nueva pareja. Si no brinda con champán en la fiesta, realmente no está celebrando el evento. Y si es un invitado y no come un poco de todo lo que fue preparado para la comida, el anfitrión puede ofenderse o sentirse insultado. Compartir la comida con otros es parte de lo que todos hacemos incluso cuando no queremos hacerlo.

A menudo nos encontramos en situaciones donde es fácil comer sin darse cuenta de que no tenemos hambre o cuánto estamos comiendo. Estos empujones culturales son característicos, nos empujan a hacer algo y son inherentes dentro de ciertas situaciones por los mensajes culturales de lo que se supone que debemos hacer. Si come con otros que tienen la costumbre de que cada persona se pida un plato de entrada, un plato principal y un postre, entonces es natural sentirse obligado a pedir la misma cantidad de comida a pesar de no tener hambre. La persona se siente que la van a ver como alguien raro si pide dos platos de entrada en lugar de un plato principal, cuando eso es todo lo que puede o debe comer.

Nuestro contexto no solo pone el escenario, sino también pone límites e influye en nosotros al definir lo que es aceptable. Y en nuestra cultura, comer es social. Está muy claro que lo que es aceptable en nuestra cultura, dónde vivimos y quiénes interactúan con nosotros influye muchísimo en cómo comemos y qué comemos.

En 1999, Boyd Swinburne y sus colegas, investigadores líderes en estudios sobre exceso de peso, escribieron sobre todos los factores que facilitaban que las personas engordaran.[2] Su modelo veía factores específicos: "Físicos (lo que está disponible), económicos (los costos), políticos (cuáles son las "reglas") y socioculturales (actitudes y creencias)". El propósito de su investigación era identificar el poder de cada factor, así como las interacciones entre parejas de factores y el grupo entero. La implicancia era que, una vez que usted comprendiera los factores, podría ser capaz de desarrollar un plan de acción para reducir el factor que estaba impulsando a la persona a comer de maneras no saludables.

Resulta que *todos* los factores en el modelo de Swinburne y Egger (lo que está disponible, costos, actitudes y creencias sobre la comida y la alimentación) desempeñan funciones cruciales en nuestra vida diaria de maneras intrincadas. Lo que escogemos comer se basa en la disponibilidad y costo de la comida. Nuestras opciones se modifican después si necesitamos comer rápidamente para volver a lo que estábamos haciendo. La interacción de estos factores es compleja, dinámica y sujeta a presiones cambiantes. Esto ocurre así porque la mayoría de nosotros pasa una parte considerable de nuestro día fuera de casa. Como resultado, nuestras opciones están limitadas a comida rápida que no cueste mucho.

Miremos, por ejemplo, lo que pasa si la necesidad de comer rápido y la prisa definen el momento y la manera en comemos. Devoramos la comida en segundos y no prestamos atención a señales importantes del cuerpo. Toma tiempo que el estómago perciba que está lleno. Toma incluso más tiempo que el cerebro reconozca que ya no tenemos hambre. Como tendemos a comer apurados, terminamos comiendo más de lo que necesitamos porque comemos tan rápido que no tenemos tiempo para recibir la señal del estómago al cerebro de que estamos llenos. Todo esto dificulta el control de la cantidad que comemos.

Cada vez más personas enfrentan el reto del exceso de peso, lo cual naturalmente motiva estudios adicionales. En 2011, la muy respetada revista médica *Lancet* publicó varios artículos que resumían lo que se sabía sobre el exceso de peso y su control. Varios autores comentaron sobre los artículos y, después de un meticuloso análisis, concluyeron que lo único que estaba claro era la necesidad de entender mejor lo que funcionaba.[3] Aunque había muchos métodos con el propósito de ayudar a la gente a controlar su peso, la información básica sobre el peso y los resultados de los diferentes métodos no causaban que la báscula indicara los resultados deseados. Los autores hicieron un llamado para que se hagan más estudios sobre lo que en realidad pasa mientras las personas están en los diferentes programas de reducción de peso que están disponibles. Lo que alarmó a algunos, pero me consoló a mí, fue el mensaje al sector de que las *"presunciones sobre velocidad y mantenimiento de la pérdida de peso están equivocadas"*.[4]

Sin embargo, hemos desarrollado varias explicaciones sobre qué nos hace comer y cómo nos afecta la comida. La noticia no tan buena es que continúa el debate sobre qué es exactamente lo que hace que las personas engorden.

Cuatro años después, en el 2015, *Lancet* publicó otra serie de estudios que hacían un llamado a reformular el control del peso.[5] En su resumen, los autores concluyeron que era crucial comprender que comer es el resultado de la "naturaleza recíproca de la interacción entre el entorno y la persona",[6] donde la información que obtenemos de todo a nuestro alrededor refuerza las opciones poco saludables de comida y conducta.[7] Los autores añadieron que: "Los entornos actuales de comida explotan la vulnerabilidad biológica, sicológica, social y económica de las personas, y facilitan que coman alimentos poco saludables. Esto refuerza la preferencia y demanda de alimentos de poca calidad nutritiva, lo que promueve incluso más los entornos de comida no saludable".[8]

En resumen, era difícil que una persona comiera sano porque las señales y mensajes del entorno la empujaban hacia opciones no saludables y a tener hambre.

En otras palabras, nuestra cultura también hace que sea difícil comer alimentos saludables en cantidades saludables. Piense en el mensaje del eslogan de un conocido comercial: "A que no puedes comer solo una". Imagínese comiendo *chips*. ¿Piensa en un plato de *chips*? No, siempre es una vasija honda con mucho más capacidad.

Corinna Hawkes y sus co-investigadores[9] fueron incluso más críticos cuando declararon que: "Las acciones eficaces de la política sobre alimentación están adaptadas a la preferencia y características conductuales, económicas y demográficas de las personas que buscan respaldar; están diseñadas para trabajar a través de mecanismos con los cuales son más eficaces y se implementan como parte de una combi-nación de acciones que se refuerzan mutuamente".

Lo que significa que el entorno que nos rodea, la manera en que los alimentos se fabrican y procesan, y la comercialización de alimentos específicos están todos orientados a alentarnos a comer más de lo necesario o a escoger alimentos que no son saludables.

Para algunos, esto parece un asunto económico, más que nada. Algunos se ven "forzados" a comprar alimentos que preferirían no comer o alimentos que saben que no son saludables, porque tienen un presupuesto limitado para comida. Esto es más probable cuando una persona está comprando comida no solo para sí misma, sino para una familia. Con demasiada frecuencia, la persona básicamente tiene dos opciones: comprar la comida menos saludable y tener con qué alimentar a su familia, o tratar de encontrar una alternativa más saludable por un precio similar. Afortunadamente, cada vez más fabricantes de comida están haciendo alimentos más saludables y menos caros. Para comer sano con poco dinero, debe dar los siguientes pasos:

- Coma frutas y verduras de la temporada.
- Celebre comer una menor cantidad de algo sano, en lugar de comer grandes cantidades de comida que no es saludable.
- Tome agua en lugar de bebidas azucaradas.
- Haga una lista de compras con lo que está de oferta.

Con tantos tipos de poderosos factores que impulsan en la dirección incorrecta, no nos debería sorprender que comer sano sea difícil. Estamos inundados por señales ambientales, sabores y publicidad, todo lo cual nos induce a comer sin importar el nivel de hambre o necesidades nutricionales. Esto crea situaciones que nos llevan a comer incluso habiendo comido lo suficiente, un ambiente que los investigadores llaman "obesogénico".

Vivir en una cultura obesogénica significa que las señales sociales y las normas culturales que nos alientan a comer de manera poco saludable están por todos lados. Invaden nuestra vida diaria. Recientemente llegué a un aeropuerto y necesitaba comer algo rápido porque la fila de seguridad era mucho más larga de lo que esperaba. Cuando fui a la zona de comida, encontré que mis opciones eran las que siempre dominan la mayoría de los lugares públicos. Desafortunadamente, había pocas alternativas para saciar el hambre de manera saludable. Si está en el paradero de autobús, la estación de trenes, el aeropuerto, un centro comercial, su propio barrio o su auto, los alimentos de rápido acceso, fácil consumo y bajo costo, a menudo son los que nos empujan al lado incorrecto de la báscula.

Lamentablemente, la investigación de la cultura que crea un ambiente que promueve comer saludablemente, también llamado contexto leptogénico, ha sido mínima. La mayor parte de los estudios se enfocan en los efectos del ambiente físico o arquitectónico sobre la actividad física. Por eso ahora sabemos sobre los efectos positivos de tener lugares donde los adultos puedan caminar de manera segura o hacer ejercicio cerca de su casa. Aunque estos estudios han alentado la creación de más lugares seguros para caminar y más opciones de ejercicio, han hecho muy poco para cambiar nuestro ambiente respecto a la forma en que la cultura determina cómo y cuándo comemos.

Cuando se trata de comer, nuestra cultura nos alienta a comer más de lo que necesitamos comer: es obesogénico. Hay muy pocos factores que promueven comer saludablemente. Tal vez, una mejor manera de entender la cultura sería considerar lo que influye en las decisiones específicas que toman las personas.

Los muchos factores que nos impulsan a comer deben ser examinados a diferentes niveles de profundidad. Cuando pensamos en cómo decidimos qué comer, un componente que tenemos que considerar es la función de la publicidad en nuestra cultura.

Publicidad

Muchos de nosotros creemos que tras décadas de exposición, somos inmunes al impacto de la publicidad. Es natural dudar que la publicidad todavía tenga gran influencia en nuestras decisiones. Pero sí la tiene. Si no cambiara conductas, ninguna compañía gastaría dinero en publicidad.

La mayoría de los estudios sobre publicidad y malas decisiones de comida se enfocan en niños. El artículo del 2011 en *Time* por Alice Park llamado "Son los comerciales, tonto: Por qué la TV causa obesidad" (*"It's the Ads, Stupid: Why TV Leads to Obesity"*)[10] realmente era preocupante. El título resumía los resultados de su investigación: "el niño norteamericano promedio ve casi 8,000 comerciales de alimentos y bebidas por televisión, y solo 165 de ellos son opciones nutritivas como frutas y verduras". La publicidad orientada a los niños es muy exitosa. Para algunos, parecería ilógico dirigir la publicidad a los niños, porque ellos no son los que deciden el presupuesto familiar ni compran la comida. Pero la publicidad para niños vende miles de millones de dólares en productos.

El éxito de esta estrategia de comercialización depende de un clásico proceso de dos partes. Primero, los expertos en mercadeo han aprendido que se puede convencer a los niños para que deseen un producto sin importar su valor y, segundo, que una vez que los niños están convencidos de que quieren un producto, los niños pueden hacer que sus padres se lo compren. En última instancia, la publicidad para niños depende de la habilidad para motivar a un niño a querer un alimento o bebida en particular. No hay ningún intento de informar sobre salud o nutrición.

Lo más importante es que, en un momento en que todos los esfuerzos deberían enfocarse en desarrollar destrezas para tomar buenas decisiones respecto a la comida, los niños ven imágenes que los alientan a hacer exactamente lo opuesto. Mire de cerca lo que se ofrece en el típico menú infantil y es fácil comprender cómo empiezan las malas decisiones de comida a temprana edad y cómo se promueven.

Al mismo tiempo, es escasa la investigación sobre los efectos de la publicidad en adultos. Tal vez porque se cree que los adultos saben cómo ser selectivos y al momento de tomar una decisión, son libres para escoger. Pero no es así. La publicidad de comida está diseñada para hacer que la gente crea que ciertos alimentos y bebidas los harán más populares, más fuertes, mejores, más atléticos, más sexy o más parecidos a la persona que está promoviendo el producto.

Aunque no queramos admitirlo, el impacto de la publicidad en adultos es enorme. Las compañías publicitan y comercializan sus productos porque es una estrategia exitosa que logra que compremos su producto. Estamos rodeados por señales con el solo propósito de hacernos comprar y comer productos que no representan las mejores opciones.

Ahora que vemos menos televisión y leemos menos revistas, la naturaleza de la publicidad ha tenido que cambiar para captar al consumidor de hoy. Los días de la campaña única que llegaba a todos pertenecen al pasado, y ahora recibimos diferentes tipos de mensajes individualizados que nos tocan a un nivel muy personal según nuestro perfil digital. Las empresas que nos venden productos se han adaptado y aprendido las nuevas maneras en que la gente quiere conectarse.

Los mensajes son cada vez más personalizados, mientras que los pocos mensajes de salud tienden a perderse. Y a veces, una afirmación de salud enfatizada por un fabricante de alimentos o bebidas hace que el consumidor no se dé cuenta del lado no saludable del producto. El yogur es un buen ejemplo. A menudo la publicidad dice que es saludable y natural. Eso tal vez sea verdad sobre algunos productos, pero si lee la etiqueta, se sorprenderá de saber la cantidad de azúcar agregada por los fabricantes.

Además estamos aprendiendo que las consecuencias de la publicidad van más allá de vender un producto específico. También hace que los adultos coman más en general. En un experimento, un grupo de adultos vieron programas con comerciales que promovían los bocadillos, otro grupo vio programas que promovían los beneficios de una buena nutrición y otro grupo vio programas que no tenían publicidad de comida. Los resultados del estudio fueron dramáticos: "Los adultos consumieron más bocadillos, saludables o no, tras ver la publicidad sobre bocadillos, en comparación con los otros grupos"."[11]

El estudio demostró que el impacto de la publicidad fue más allá del producto específico, pues hizo que la gente comiera más.

La mayoría de la gente sabe que la publicidad tiene el objetivo de motivarlos a comprar o hacer algo. Su objetivo no es empoderarlos para que tomen las mejores decisiones en base a información completa. En vez, la publicidad trata de dar información que los hará comprar el producto publicitado.

Los mensajes falsos en muchos comerciales están entrelazados con imágenes falsas. Solo piense en el último comercial que vio. Las personas son más delgadas que la mayoría de nosotros, a pesar de que están consumiendo productos que harían engordar a cualquiera. Cuando vemos los comerciales, por alguna razón olvidamos lo que sabemos y aceptamos la sugerencia de que se puede comer de manera poco saludable y seguir siendo delgado. Necesitamos ver los comerciales de comida de manera más crítica y reconocer que tienen el propósito de hacernos desear el producto y convencernos de que el producto es una buena opción. Hay pocos comerciales que nos dicen que comamos más sano o porciones más pequeñas. Todo a nuestro alrededor está diseñado para lograr que comamos más.

Lo que empeora las cosas es que, con demasiada frecuencia, hay publicidad engañosa y falsa sobre productos, planes y procedimientos para perder peso. Las imágenes en la publicidad tienden a ser de gente que perdió mucho más peso del que la mayoría de nosotros tiene que perder, en las que el efecto visual de la diferencia es tremendo. Nos olvidamos de que las imágenes a menudo han sido alteradas o tomadas en un ángulo especial. En muchos casos, las imágenes van junto con un testimonio o afirmaciones científicas erróneas. A veces el vocero es alguien a quien respetamos o queremos imitar. Pero si alguno de estos productos o planes fueran verdaderamente exitosos, eliminarían a la competencia. El talento de la industria para perder peso está en hacernos comprar productos que, a lo más, producen beneficios temporales. Comer sano es una actividad para toda la vida, no es algo que hacemos solo una vez y luego nos detenemos. Por eso es que trabajar para desarrollar nuevos hábitos es esencial.

Al cambiar lo que hacemos ahora y en el futuro, podemos lograr y mantener una relación saludable con la comida.

Todos debemos comprender lo que nos empuja a comer.

A medida que pensaba en mi propia situación, empecé a descubrir nueva información que explicaba mejor las dificultades que tantos de nosotros enfrentamos. Entre estudios recientes, encontré una explicación más compleja que iba más allá de la cultura obesogénica para entender qué nos hace comer lo que comemos y qué nos hace comer más de lo que deberíamos.

Yo sabía que era difícil perder peso e incluso más difícil no recuperar el peso perdido. Había vivido con esa experiencia toda mi vida, al igual que la mayoría de las personas que me contaron abiertamente sobre sus intentos de controlar su peso. Aunque los estudios generalmente se enfocaban en un modelo conceptual o algún programa para perder peso, me decepcionaba que la mayoría de los estudios que leía solo analizaban una o dos cosas que se debían hacer para perder peso.

Sabemos que cada persona responde a un conjunto específico de factores, sutiles u obvios, que la hacen comer.

Cada investigador parece tener su explicación preferida para el aumento mundial en el número de personas con exceso de peso. Las explicaciones incluyen demasiadas calorías, falta de actividad física, el excesivo consumo de comida chatarra, demasiada publicidad de comida chatarra, demasiados químicos en el medio ambiente que desequilibran el sistema endocrino, glotonería, bebidas que no son saludables, genes, estrés, malas decisiones personales, bajos ingresos, desiertos alimentarios y muchos otros. La lista es larguísima. El problema que vi en los estudios publicados era que les faltaba ver lo que sucedía a nivel personal.

Al hablar con la gente me quedó claro que algunos factores, todos o, muy probablemente, una combinación de ellos determinan la medida en que la persona logra controlar su peso. Además, incluso para un solo individuo, los factores que determinan lo que come pueden cambiar en un día, una semana o un mes. Me parecía un desperdicio que se estudiaran uno o dos factores como los determinantes que impulsaban a una persona a comer, ya que siempre había más factores en juego.

Al mismo tiempo, el modelo del estudio típico maneja las diferencias individuales cancelándolas estadísticamente. Eso significa que no está diseñado para captar, y lo más probable es que ignore, la interacción entre los factores a nivel personal. Lo que es peor, lo que a menudo se omite son los incidentes inesperados o interferencias que son parte de la vida de una persona y pueden limitar su capacidad para controlar su peso

"Muy cierto… Para mí, si el estrés es porque no estoy segura de cómo manejar una situación, me da mucha hambre, como si comer me ayudara a encontrar una solución. Si el estrés es porque estoy muy triste o molesta… no puedo comer. Es como si mi cuerpo no quisiera trabajar en digerir hasta que pueda resolver, o al menos razonar, por qué estoy tan afectada". Alice

Escuchar las historias de quienes estaban intentando perder peso y tratando de no recuperarlo, me confirmó que una gran gama de factores influye en la conducta de una persona y la motiva a comer. Las diferencias entre las personas que entrevisté eran enormes. Además, la combinación de factores que influían en qué y cuándo comían variaba diariamente para cada persona. Un día, la persona estaba tan estresada y molesta que le era imposible comer, mientras que en otra situación, el estrés hacía que la misma persona devorara la comida. En consecuencia, las conclusiones de los estudios sobre estrés y la capacidad de las personas para controlar lo que comen no nos sorprenden. Silvia Maier y sus colegas del Laboratorio para la Investigación de Sistemas

Sociales y Neurológicos de la Universidad de Zurich, observaron los cambios en el cerebro de las personas y documentaron que el estrés reducía la capacidad de auto control.[12]

Obviamente, también hay variación de persona a persona en qué las hace comer y qué las hace dejar de comer. Los factores que determinan si una persona tiene o no tiene éxito en controlar su peso no son estáticos. Cambian en diferentes momentos de la vida.

Así que apliqué todos estos estudios a mí misma y me di cuenta de que la solución estaba en otro lado, y que tenía que utilizar los principios cognitivos de conducta que había aprendido a fin de apoyar un nuevo enfoque que ayudara a las personas a comer sanamente.

El reto de cambiar la manera en que comemos es recalibrar lo que pensamos sobre la comida y nuestra relación con lo que comemos. No solo se trata de hacer dieta, seguir un plan o comer ciertos alimentos. Aunque podemos tener buena información sobre cómo comer para controlar nuestro peso, nuestros intentos para hacerlo se rinden ante la influencia de mensajes culturales sobre comida y la publicidad que nos rodea. Como resultado de esos factores, nuestro razonamiento y buenas intenciones son derrotados por mensajes culturales amplificados por la publicidad.

[1]Baranowski, T., Cullen, K.W., Nicklas, T., Thompson, D., y Baranowski, J. "Are Current Health Behavioral Change Models Helpful in Guiding Prevention of Weight Gain Efforts?" *Obesity Research. Special Issue: Obesity, Lifestyle, and Weight Management.* Vol. 11, Número S10, Páginas 23S–43S, octubre, 2003. Se publicó primero en internet: 6 de septiembre, 2012 DOI: http://dx.doi.org/10.1038/oby.2003.222

[2]Swinburn, B., Egger, G. y Raza, F. "Dissecting Obesogenic Environments: The Development and Application of a Framework for Identifying and Prioritizing Environmental Interventions for Obesity," *Preventive Medicine.* Volumen 29, Número 6, diciembre 1999, Páginas 563–570

[3]"Urgently needed: a framework convention for obesity control," *The Lancet.* 27 de agosto, 2011; 378: 741. DOI: http://dx.doi.org/10.1016/S0140-6736(11) 61356-1

[4]Ibid.

[5]Kleinert, S. y Horton, R. "Rethinking and Reframing Obesity," *The Lancet,* London EC2Y 5AS, UK 2. Acceso: 17 de abril, 2015. www.thelancet.com. Publicado en internet: 18 de febrero, 2015 DOI: http://dx.doi.org/10.1016/S0140-6736(15)60163-5

[6]Roberto, C.A.; Swinburn, B.A.; Huang, T.T.K.; Costa, S.; Ashe, M.; Zwicker, L.; Cawlet, J.H. y Brownell, K.D. "Patchy Progress on Obesity Prevention: Emerging Examples, Entrenched Barriers, and New Thinking," *The Lancet* 2015. Publicado en internet: 18 de febrero, 2015. DOI: http://dx.doi.org/10.1016/S0140- 6736(14)61744-X

[7]Kleinert, S. y Horton, R. "Comment: Rethinking and Reframing Obesity." *The Lancet* 2015; Publicado en internet: 18 de febrero, 2015. DOI: http://dx.doi.org/10.1016/ S0140-6736(15)60163-5

[8]"Obesity 2015. Executive Summary," *The Lancet*. Publicado en internet: 18 de febrero, 2015.

[9]Hawkes, C.; Smith, T.G.; Jewell, J.; Wardle, J.; Hammond, R.; Friel, S.; Thow, A.M. y Kain, J. "Smart Food Policies for Obesity Prevention." *The Lancet* www.thelancet.com. Publicado en internet: 18 de febrero, 2015 DOI: http://dx.doi.org/10.1016/S0140- 6736(14)61745-1 Acceso:17 de abril, 2015.

[10]Park, A. "It's the Ads, Stupid: Why TV Leads to Obesity," *Time*, 27 de junio, 2011.

[11]Harris, J.L., Bargh, J.A. y Brownell, K.D. "Priming Effects of Television Food Advertising on Eating Behavior," *Health Psychology*, Vol. 28(4), julio 2009, Páginas 404-413. DOI: http://dx.doi.org/10.1037/a0014399

[12]Maier, S.U.; Makwana, A.B. y Hare, T.A. "Acute Stress Impairs Self-Control in Goal-Directed Choice by Altering Multiple Functional Connections within the Brain's Decision Circuits." *Neuron*, Vol. 87, Número 3, Páginas 521-631, 5 de agosto, 2015. DOI: http://dx.doi.org/10.1016/j.neuron.2015.07.005

CAPÍTULO 4

El impacto de su biología, el azúcar y la grasa

El capítulo anterior explicó algunas de las fuerzas externas que lo impulsan a comer, pero para que su plan tenga éxito, necesita comprender las fuerzas internas que pueden ponerle trabas a su plan, a fin de que pueda evitarlas. Cada persona aporta un conjunto particular de experiencias a su relación con la comida, y aparte de eso, su propia biología influye en cuánto progresará en cualquier plan.

Su biología

En noviembre del 2015, el Dr. David Zeevi y sus colegas compartieron los resultados de un estudio que observó los niveles de glucosa de 800 voluntarios todas las semanas y su reacción a 46,898 comidas.[1] Recogieron información sobre la salud y el estilo de vida de los voluntarios. Cada persona también estaba conectada a un dispositivo que registraba el nivel de glucosa en la sangre cada cinco minutos durante toda una semana. El descubrimiento más importante fue que incluso cuando las personas comían lo mismo, su cuerpo no respondía de la misma manera. Para algunas personas, comer sushi les subía más la glucosa que comer helado. De hecho, lo que encontraron fueron grandes variaciones. Su conclusión fue que tener las mismas recomendaciones alimenticias para todos tal vez no era tan útil como se pensaba.

Parte de la explicación para sus resultados fue el conocimiento del microbioma, que es el conjunto de microbios que viven en nuestro estómago. Los científicos ahora saben que algunos de esos microbios tienen un gran impacto en cómo su cuerpo usa el azúcar y cuánta insulina se produce. Los microbios desempeñan un papel complejo en cuánto comemos y cómo se metaboliza lo que comemos. Sabemos que hay microbios en el estómago que activan hormonas que le dicen al cerebro lo que tiene que hacer con lo que usted está consumiendo e incluso si usted está lleno o no.

Cada vez se están haciendo más estudios de este tipo. Ahora se sabe que hay microbios buenos y malos. La complejidad de las operaciones de estos microbios está siendo entendida poco a poco. Cuando los microbios en nuestro intestino no funcionan bien, pueden distorsionar cómo se usa la energía en las células de grasa.[2]

Es de esperar que sus genes tengan una función en su peso. Hay evidencia que sugiere que "hasta 21% de la variación en el BMI se explica por variaciones genéticas comunes".[3] Esto significa que los genes determinan parcialmente su BMI, una razón más por la cual lo que funciona para una persona no funciona para otra. Todos los días se descubren nuevas conexiones y relaciones entre los genes y el exceso de peso.[4] Todos nosotros debemos encontrar nuestro propio camino para controlar nuestro peso, sin importar lo que hayamos heredado. Para algunos de nosotros, eso significa que lo que heredamos puede dificultar que controlemos nuestro peso y tenemos el reto de encontrar la manera de superar ese impedimento. Convertir estos descubrimientos e información genética en algo específico que ayude a la gente tomará décadas. Mientras tanto, estamos seguros de que el mejor plan de alimentación debe ser personalizado según lo que usted necesite.

Al desarrollar un plan, necesitamos saber la relación entre ciertos alimentos y nuestro deseo de comer. Hay compañías que usan esta ciencia para hacernos comprar y comer más, porque algunos alimentos tienen un mayor efecto en nosotros que las calorías consumidas. Con esto en mente, les presento información clave sobre el azúcar, la grasa y la manera en que nuestro cuerpo utiliza estos nutrientes, que puede interferir con nuestros esfuerzos para comer de manera saludable.

Azúcar

Cuando empecé a desarrollar mi nueva manera de relacionarme con la comida, supe que tenía que ser honesta sobre lo que podía dejar de comer y qué no. Desde el principio también reconocí que había cosas que disfrutaba inmensamente. Café con azúcar sin refinar es esencial para que me sienta bien. Me encanta mi café (generalmente dos tazas de doce onzas cada una) en la mañana, con dos cucharitas de azúcar sin refinar para endulzar delicadamente cada taza. Aunque no soy dulcera, sí me gusta algo dulce, especialmente con mi café matutino. Acepté que podía cambiar muchas cosas, pero que algunas cosas de mi rutina diaria no cambiarían. Todavía tomo café con azúcar por la mañana.

Todos sabemos que lo dulce sabe bien, pero demasiado no es bueno para nosotros. Muchos de los productos que nos gustan son dulces, como el azúcar de mesa, agave, miel y otros productos. Y para añadir a la lista de los dulces, debe recordar que los carbohidratos se vuelven azúcar después de que el cuerpo los procesa.

Tenga en mente que el azúcar (glucosa) es esencial. Para estar sanos todos necesitamos un poco de azúcar.

La glucosa es la fuente de energía para muchas de las funciones de nuestras células. Incluso nuestro cerebro necesita un poco de glucosa para funcionar apropiadamente. ¿Pero cuánta azúcar es suficiente?

La respuesta es complicada por muchas razones. Parte de la confusión proviene de que, cuando decimos "azúcar", no estamos hablando de un ingrediente. Realmente estamos hablando de muchos tipos en la familia de los azúcares simples. Para complicar aun más la respuesta, el azúcar agregada a los alimentos es la que causa la mayoría de los problemas.

La glucosa, sucrosa, dextrosa y fructosa son todas parte de la familia de los azúcares simples. Tal vez tienen un número similar de calorías, pero hay diferencias significativas en la manera en que el cuerpo las utiliza. Un ejemplo de esto es el efecto de un alimento en el nivel de glucosa de una persona, indicado por su número en el índice glucémico. Y sobre todo, cada tipo tiene un impacto específico en su deseo de comer más. Aquí un resumen corto de estos azúcares simples.

La glucosa se encuentra circulando en su flujo sanguíneo. Cuando come carbohidratos, su cuerpo los convierte en glucosa, la cual es absorbida directamente en el flujo sanguíneo. Una de las importantes funciones de la glucosa es aumentar la secreción de la hormona insulina en su cuerpo. Cuando hay insulina en su flujo circulatorio, esto le indica al cerebro que ha comido lo suficiente (saciedad). Esto significa que hay menos probabilidades de que quiera más comida.

La sucrosa es el azúcar blanca con la que estamos familiarizados. Usualmente se hace de caña de azúcar o de betabeles (remolacha). El azúcar blanca refinada que se usa comúnmente es 99.9% de sucrosa. Cuando consume productos con sucrosa, su cuerpo la procesa y la convierte en 50% glucosa y 50% fructosa. Como resultado, le sube el nivel de glucosa en la sangre.

La dextrosa es una forma de glucosa que se hace de almidones producidos de manera natural en ciertas plantas, como el maíz, arroz, trigo, papas, cúrcuma, yuca y sagú. En Estados Unidos, la mayoría de la dextrosa se hace de maicena. Para hacer dextrosa, se alimenta bacterias con maicena u otro almidón. Luego las bacterias producen dextrosa, que se usa en muchos productos, desde preparaciones intravenosas (IV) hasta productos de repostería. Se considera 30% menos dulce que la sucrosa.

La fructosa se encuentra en muchas plantas (bayas, verduras de raíz, caña de azúcar, flores y frutas) y en la miel. Hay una gran variación en la cantidad de fructosa y glucosa que se encuentra en cada tipo de fruta. Las manzanas y las peras tienen más fructosa que los albaricoques, mientras que los plátanos tienen casi la misma cantidad de fructosa y glucosa. Su cuerpo extrae la fructosa del flujo sanguíneo y la envía a su hígado. La fructosa no estimula la producción de insulina, lo que significa que su cerebro no recibe la señal de que comió suficiente. Es 1.73 veces más dulce que la sucrosa. Además de fructosa, la fruta contiene otros nutrientes.

El jarabe de maíz con alto contenido de fructosa (*high fructose corn syrup* o HFCS) está hecho de maíz. El HFCS, que es más barato que el azúcar blanca, es un producto procesado sin valor nutritivo y, además, aumenta su apetito.

Necesitamos comer un poco de azúcar. El problema ocurre cuando comemos demasiado, lo que tiene consecuencias negativas en la salud, que ahora han sido identificadas como un problema mundial de salud. En marzo del 2015, la Organización Mundial de la Salud (OMS) recomendó que los adultos y niños redujeran su consumo diario de azúcares libres a menos de 10% del total de calorías diarias. La OMS añadió que una reducción adicional a menos de 5%, aproximadamente 25 gramos (6 cucharitas) por día traería beneficios adicionales para la salud. En enero del 2016, Estados Unidos emitió las Recomendaciones Alimenticias para los Norteamericanos 2015-2020, las cuales recomiendan consumir no más de 10% de sus calorías en la forma de azúcar agregada.

Para una persona que consume 2000 calorías por día, 10% significa que un máximo de 200 calorías al día pueden ser de azúcar agregada. Esto significa que tenemos que estar pendientes de cuánta azúcar hay en lo que comemos y bebemos.

Echemos un vistazo a los Datos de Nutrición en la etiqueta de una lata de 12 onzas de una bebida azucarada. Muestra cuánto del total de carbohidratos por porción viene del azúcar. ¿Qué quiere decir que tiene 140 calorías y 39 gramos de azúcar? Significa que usted está tomando el equivalente de 8 cucharitas de azúcar. En otras palabras, que está cerca del límite diario.

Y ese deseo de comer algo dulce es algo que muchos de nosotros ni siquiera hemos pensado. Cuando era niña, la única vez que alguien mencionaba el azúcar como un problema era relacionado con los dientes. Recuerdo que me dijeron que demasiada azúcar producía caries. Con el paso del tiempo, empecé a escuchar a la gente comentar que tenía demasiada azúcar en la sangre, y más conversaciones sobre diabetes. Pero en general, el azúcar no era gran preocupación porque la gente no estaba comiendo tanta azúcar en su alimentación. Sin embargo, en años recientes, el número de alimentos y bebidas con azúcar agregada se ha disparado.

En niños y adultos, el consumo de bebidas azucaradas está relacionado con exceso de peso. En las últimas décadas, nuestro consumo de endulzantes se ha incrementado de manera dramática, y las consecuencias todavía no las conocemos del todo. Mientras las empresas se rehúsan a aceptar los hechos, sabemos con certeza que el consumo de bebidas azucaradas está asociado con un exceso de peso en los niños.[5] La evidencia para adultos claramente relaciona el sobrepeso con la diabetes.

El azúcar y su relación con otras enfermedades. Lo que quedaba por documentar era si el azúcar afectaba la salud de los adultos de otras maneras[6]. En un estudio, Quanhe Yang,[7] investigador de la División de Prevención de Derrames Cerebrales y Enfermedades Cardiacas del CDC, y sus colegas, querían observar las tendencias de cuánta azúcar comía o tomaba la gente y tratar de determinar si había alguna consecuencia particularmente notable. Para hacer esto, analizaron los datos de la Encuesta Nacional de Salud y Nutrición (NHANES) de 1988 a 2010. La NHANES es una serie única de estudios en los que se toman medidas *reales* y exámenes de miles de voluntarios en todo el país que son seleccionados al azar para participar en esta encuesta.

Yang estudió cuidadosamente a todas las personas que habían participado en el estudio y buscó quiénes habían fallecido. No se sorprendió cuando el equipo de investigación descubrió que los adultos en Estados Unidos consumían más azúcar de lo que se consideraba necesario. Lo que causó mayor sorpresa y preocupación fue su conclusión: "observamos una relación significativa entre el consumo de azúcar agregada y un mayor riesgo de mortandad [por enfermedades cardiovasculares]".

Las personas que consumían más azúcar tenían mayor probabilidad de morir antes por enfermedades cardiovasculares.

No solo se trataba de calorías extra; de alguna manera, el consumo adicional de azúcar aumentaba la probabilidad de morir antes por algún tipo de enfermedad cardiovascular.

<u>Efectos del azúcar en el cerebro.</u> En los *Proceedings of the National Academy of Sciences*, de mayo del 2015, Shan Luo y sus colegas[8] examinaron la reacción de 24 voluntarios saludables tras tomar una bebida endulzada con fructosa o glucosa. El estudio se enfocó en:

- cómo respondía el cerebro a las imágenes de comida;
- las decisiones de los voluntarios de escoger una recompensa inmediata en comida o en dinero más tarde; y
- cambios en el nivel de insulina en la sangre.

Al inicio del estudio, los investigadores se aseguraron de que todos los voluntarios empezaran con niveles similares de hambre. Además, se aseguraron de que todos los voluntarios evaluaran como agradables las bebidas con glucosa y fructosa.

Lo que encontraron respecto a la glucosa y fructosa fue que, ambas son dulces, pero el efecto de la fructosa fue hacer que la persona sintiera más hambre.

La fructosa no solo no produjo saciedad como sí lo hizo la glucosa, sino que hizo que los voluntarios quisieran más comida y más pronto. Quienes tomaron fructosa también estaban más dispuestos a renunciar a incentivos monetarios.

Es verdad lo que se dice sobre el jarabe de maíz con alto contenido de fructosa.

Recientemente, la discusión sobre el azúcar y sus consecuencias negativas se ha enfocado en el jarabe de maíz con alto contenido de fructosa o HFCS, que se agrega a las bebidas. Tal vez usted no le dé mucha importancia al jarabe de maíz con tanta fructosa como ingrediente, pero está en muchos de los alimentos y bebidas que consumimos. El HFCS también tiene un impacto negativo casi inmediato en nuestra salud.[9]

Kimber L. Stanhope, científica e investigadora de la Universidad de California en Davis, y sus colegas[10] querían entender mejor los efectos del HFCS. Para ello reclutaron a 85 personas para su estudio. Para empezar, se les tomó exámenes de sangre a todos en el estudio. Luego fueron asignados a uno de cuatro grupos para observar los efectos del HFCS. Dependiendo del grupo al que fueron asignados, en las dos semanas siguientes, los participantes tomaron bebidas endulzadas con aspartame, HFCS al 10%, HFCS al 17.5% o HFCS al 25%.

Después de dos semanas, se les volvió a tomar exámenes de sangre a los participantes. La conclusión más importante fue que tras solo dos semanas, las bebidas con HFCS causaron efectos negativos. Los grupos que tenían más HFCS en sus bebidas tenían niveles más altos de colesterol malo (LDL) y triglicéridos. "Fue una sorpresa que añadir el equivalente de media lata de soda en el desayuno, almuerzo y cena fue suficiente para generar un aumento significativo en los factores de riesgo para enfermedades cardiovasculares", dijo Stanhope. "Nuestro cuerpo reacciona ante un aumento relativamente pequeño en el consumo de azúcar y esa información es importante", añadió.

Sobre los carbohidratos. Nuestro cuerpo también procesa los carbohidratos para convertirlos en azúcar. Considerando los hechos de cómo usa nuestro cuerpo el azúcar y su impacto en lo que comemos, necesitamos reconsiderar los alimentos ricos en carbohidratos: pan, arroz, papas, cereal, entre otros. Necesitamos algunos carbohidratos, pero tenemos que pensar cuidadosamente en lo que estamos comiendo.

Si los carbohidratos que comemos se convierten rápidamente en azúcar, son nocivos por muchas razones. Tal vez nos den energía, pero el efecto dura un corto tiempo. Lo que pasa es que usted termina sintiéndose menos satisfecho y le vuelve el hambre más rápidamente que si consume carbohidratos que se convierten en azúcar más lentamente.

Una buena regla de sentido común es que cuanto más blanco es el carbohidrato, más rápido se convierte en azúcar. Así que coma lo que es más oscuro. Lo que hace que el pan, arroz y los fideos sean blancos es el proceso por el cual se pierden algunos de los nutrientes que ayudan a desacelerar la conversión en azúcar. La solución es simple. Cuando coma carbohidratos, coma pan integral, fideos integrales y arroz integral. Si aplicamos la regla a las papas, esto significa que es mejor comer camotes (batatas) que papas blancas.

Los granos integrales tienen un impacto positivo en su salud.

Aunque tiene sentido comer granos integrales, solo recientemente se han visto esfuerzos por entender mejor las consecuencias de comerlos. Un grupo de investigadores se propuso ver los datos recolectados en dos enormes estudios que fueron diseñados para complementarse uno al otro.[11] Uno de estos estudió mujeres (el Estudio de Salud de Enfermeras, *Nurses' Health Study* o NHS) y el otro hombres (Seguimiento de Profesionales de la Salud, *Health Professionals Follow-Up Study*).

El estudio de las enfermeras observó lo que sucede en la salud de un gran grupo de mujeres con el tiempo. En el estudio original, las participantes eran 121,700 enfermeras diplomadas que vivían en once estados y tenían entre 30 y 55 años de edad. El estudio de los profesionales de la salud hizo el seguimiento de 51,529 hombres profesionales en carreras médicas. En ambos estudios, cada participante recibió cuestionarios cada dos años donde anotaron información de salud y hábitos relacionados con la salud.

Tras estudiar las respuestas en los cuestionarios y anotar la fecha y la causa de muerte, la conclusión fue que las personas que comían más granos integrales tenían menor probabilidad de tener problemas cardiovasculares. Lo que era sorprendente fue que este resultado era consistente sin importar el estilo de vida de la persona. Comer granos integrales es beneficioso para nosotros. Los granos integrales son carbohidratos, pero se demoran mucho más en convertirse en azúcar.

Los beneficios de comer fruta entera. Parte de nuestra necesidad de comer cosas dulces se satisface con las frutas que comemos. Tal vez en nuestra apurada vida preferimos la facilidad y rapidez de tomar jugo, pero es mucho mejor comer la fruta entera, incluso cuando el jugo es natural.

Piense en el jugo de fruta como fruta procesada. El jugo de la fruta se vuelve azúcar más rápido que si usted come un pedazo de fruta. Si toma jugo en lugar de comerse la fruta entera, usted pierde los nutrientes y la fibra que ayudan a absorber más lentamente la fructosa (azúcar) en la fruta. Un beneficio adicional de comer fruta es que cuando come la fruta entera, la comerá más despacio y se sentirá lleno más tiempo.

Los endulzantes artificiales no son la solución.

La conclusión lógica es evitar el azúcar y solo consumir endulzantes artificiales. Pero eso no es una buena idea. Los estudios son bastante alarmantes: aunque los endulzantes artificiales tienen menos calorías o cero calorías, quienes los consumen tienen mayores probabilidades de tener diabetes.[12,13]

Cuando se trata de azúcar, piense bien. Un poquito es aceptable, pero si consume mucho aumentan sus probabilidades de tener diabetes y enfermedades cardiovasculares. El azúcar también le da ganas de comer a pesar de no tener hambre.

Grasa

El mensaje que la grasa es el enemigo es engañoso. Para poder funcionar bien, el cuerpo necesita un poco de grasa. Las vitaminas y nutrientes usualmente necesitan grasa o agua para ser absorbidos. Las vitaminas que necesitan grasa para su absorción también son las que su cuerpo almacena. Las vitaminas solubles en grasa son A, D, E, y K. Como muestra esta lista, proporcionan beneficios esenciales.

Vitamina   **Beneficios**[14]
Vitamina A   Ayuda a formar y mantener la salud de la piel, dientes, huesos, tejido suave (como tendones, ligamentos y músculos) y

membranas mucosas. También promueve la buena visión, especialmente en entornos con poca luz. Además, es posible que se requiera para la reproducción y la lactancia.

Vitamina D   Ayuda al cuerpo a absorber el calcio. El calcio es uno de los principales componentes de los huesos. Diez a 15 minutos de sol, tres veces por semana, en la mayoría de las latitudes, es suficiente para producir la vitamina D que necesita el cuerpo. Las personas que no viven en lugares soleados tal vez no producen suficiente vitamina D. Además, la falta de vitamina D posiblemente desempeñe una función en la diabetes, hipertensión y enfermedades autoinmunes como la esclerosis múltiple.

Vitamina E   Ayuda a proteger las células del daño causado por compuestos que produce el cuerpo. También ayuda al sistema inmunitario. Las células también usan vitamina E para otras importantes funciones. Por ejemplo, ayuda al cuerpo a producir glóbulos rojos y a aprovechar la vitamina K.

Vitamina K   Este es el nombre que se da a una familia de compuestos que tienen la misma química básica. La vitamina K no está en la lista de vitaminas esenciales, pero sin ella, la sangre no coagula bien. También es necesaria para que los huesos y otros tejidos se desarrollen apropiadamente.

Necesitamos comer un poco de grasa porque la grasa nos ayuda a absorber vitaminas y otros nutrientes que son esenciales para la salud. Solo debemos tener cuidado en el tipo de grasa que comemos y la cantidad. El tipo de grasa es muy importante.

En el estudio de estudios de R.J. de Souza[15], el equipo de investigación observó una multitud de estudios para ver si comer grasas saturadas o grasas trans aumentaba (1) todas las causas de muerte, (2) las enfermedades cardiovasculares (ECV) o (3) la diabetes tipo 2. La conclusión fue que las grasas trans estaban asociadas con un aumento en todas las causas de muerte, ECV y diabetes de tipo 2. Exactamente lo opuesto ocurrió con las grasas saturadas. ¿Esto significa que puede comer toda la mantequilla que quiera? Por supuesto que no. Por eso tenemos que comprender los nuevos cambios en las recomendaciones de alimentación.

El reporte del 2015 del Comité Asesor para Recomendaciones Alimenticias (*Dietary Guidelines Advisory Committee* o DGAC)[16] hizo al menos dos cambios de interés para todos nosotros respecto a la grasa que comemos. Primero, el contenido de colesterol en nuestra comida no debe preocuparnos. Esto se basó en la evidencia de que no hay una conexión significativa entre el colesterol en la comida y el colesterol de la sangre. Segundo, que en lugar de tener un límite en la cantidad de grasa que comemos, es mejor enfocarse en el tipo de grasa que comemos. Las nueces, aceites vegetales y el pescado ayudan al cuerpo a funcionar mejor y deben ser parte de lo que comemos. Cuando se dieron a conocer las Recomendaciones Alimenticias para los Norteamericanos 2015-2020, el mensaje fue claro: si escogemos con cuidado las grasas que comemos, comer grasas no solo está bien[17] sino que son esenciales para la salud. Las grasas no solo son una fuente de energía, sino necesarias para que el cuerpo pueda aprovechar algunas vitaminas.

No consuma ninguna grasa trans artificial. Lo que usted debe evitar totalmente es todo lo que tenga grasa trans artificial. La grasa trans es totalmente nociva para su sistema cardiovascular: reduce el colesterol bueno (HDL) y eleva el colesterol malo (LDL) y los triglicéridos. ¿De dónde viene la grasa trans artificial? La grasa trans se hace en un proceso que añade hidrógeno al aceite vegetal y por eso a veces la llaman parcialmente hidrogenada. La grasa trans se usa a menudo porque los productos que la contienen permanecen frescos más tiempo en los estantes, como panes y repostería, muchos tipos de chips, margarina, crema (sin leche) para el café y otros alimentos. La grasa trans hace cremoso el betún que se compra para cubrir pasteles. La grasa trans es muy dañina y no vale la pena aunque nos ahorre tiempo y dinero.

La buena noticia es que muchos fabricantes de comida procesada están esforzándose por eliminar las grasas trans de sus productos. Para el 2018, la mayoría de las fábricas no podrán añadir aceites parcialmente hidrogenados a los alimentos.[18] En el ínterin, lo mejor es leer la lista de ingredientes en la etiqueta del producto. Si la lista incluye aceite vegetal parcialmente hidrogenado, busque un producto diferente. Esta situación se solucionará cuando la FDA elimine completamente las grasas trans de nuestro suministro alimenticio.

La clave es que todavía necesitamos un poco de grasa, y necesitamos las grasas beneficiosas. Las mejores son las insaturadas, ya sea monoinsaturadas o poliinsaturadas.[19,20]

Solo tiene que estar atento y agregar estas grasas insaturadas a sus comidas en cantidades pequeñas. Es triste saber que un puñado (de una mano pequeña) de nueces es ¼ de taza y tiene 160 calorías o 10% de mi meta calórica para un día.

Fuentes de grasas monoinsaturadas	Fuentes de grasas poliinsaturadas Omega-6	Fuentes de grasas poliinsaturadas Omega-3
Nueces	Aceite de soya	Aceite de soya
Aceite vegetales	Aceite de maíz	Aceite de canola
Aceite de canola	Aceite de alazor	Nueces
Aceite de oliva		Linaza
Aceite de alazor (rico en ácido oleico)		Pescado (trucha, arenque y salmón)
Aceite de girasol		
Aguacates		

Luego está la compleja situación de la grasa saturada que usualmente se encuentra en los deliciosos quesos ricos en grasa, la carne con montones de grasa (tocino, lonjas, costillas, bistés marmoleados), aceite de palma y de coco (usados en muchos postres), leche, crema, mantequilla y helados. Por varias razones, tenemos que tener mucho cuidado y no comer mucho de estos. Lo que sorprende a la gente es lo que está escondido dentro de la grasa.

La grasa saturada añade sabor y calorías a lo que comemos, pero una preocupación creciente son las sustancias nocivas que se acumulan en la grasa animal, que luego consumimos.

Por ejemplo, las dioxinas son sustancias que, según la OMS, "son altamente tóxicas y pueden causar problemas de desarrollo y reproducción, dañar el sistema inmunitario, interferir con las hormonas y también causar cáncer".[21] Según el Instituto Nacional de Ciencias de Salud Ambiental (*National Institute of Environmental Health Sciences* o NIEHS) las dioxinas son el resultado de "procesos de incineración, incluyendo incineración inadecuada de basura municipal y quema de desperdicios, y pueden estar en el aire durante procesos naturales, como incendios forestales y volcanes". Lo que esto significa es que si hay dioxinas en el aire, pueden caer a tierra y combinarse con el agua y el terreno. Luego las plantas la absorben y las dioxinas se acumulan en los animales y peces que se alimentan de las plantas que absorbieron la dioxina.

Cuando comemos alimentos con dioxinas, el cuerpo las guarda, se acumulan y mantienen al menos la mitad de su potencia durante siete a once años. El NIEHS recomienda que para reducir nuestro contacto con dioxinas, no comamos la piel del pescado o pollo, comamos carnes magras y desechemos la grasa. Cuando coma pescado que se acaba de sacar, tenga en mente los límites que tal vez se han establecido para comer peces de un cuerpo de agua específico. Tome leche descremada o con poca grasa y use mantequilla con moderación.

Además, según la FDA, "la mayor concentración de dioxinas en animales de granja, peces y mariscos, típicamente se encuentra en la grasa y el hígado".[22]

Otros estudios han encontrado que cuando las personas y los animales entran en contacto con dioxinas a temprana edad, no solo aumenta su riesgo de cáncer, sino que también aumenta el riesgo de cáncer de la próxima generación. [23,24] Pero las dioxinas no son las únicas sustancias químicas en nuestro ambiente que nos deben causar preocupación.

Hay otros factores que tal vez cambien cómo comemos y cómo nuestro cuerpo usa lo que comemos. Nuestro sistema endocrino produce hormonas que afectan todo, desde cómo metabolizamos la comida hasta nuestro desarrollo sexual. Cuando este sistema no está enviando la señal correcta en el momento oportuno, se alteran muchos aspectos de nuestra vida. Ahora reconocemos que hay sustancias químicas que hemos vertido en el medio ambiente que afectan a las hormonas en nuestro cuerpo. Estas sustancias se llaman químicos que alteran el sistema endocrino (endocrine disrupting chemicals o EDC por su sigla en inglés), y parece que tienen un efecto en el peso corporal.

El bisfenol A (BPA) es un EDC que aumenta el riesgo de trastornos metabólicos así como la pubertad prematura (antes de lo esperado) que lleva a ganar peso.[25,26,27] Esto tiene un efecto significativo en cómo usamos los alimentos que comemos y cómo se acumula la grasa en nuestro cuerpo. Ahora sabemos que los EDC están en muchos productos que usamos (champú, esmalte de uñas, productos de limpieza, plásticos, etc.) e interfieren en el funcionamiento de las hormonas.

La estudiosa del sistema endocrino, Andrea Gore, y sus colegas resumen la conexión con la grasa: "La grasa es particularmente importante porque los EDC se acumulan en ella, ya que estos compuestos químicos tienden a ser solubles en grasa".[28] En otras palabras, dondequiera que haya grasa acumulada, habrá EDC, y eso es una razón más para evitar comer grasa animal.[29]

En resumen, hay muchos factores que influyen en cuánto comemos, qué comemos y cómo nuestro cuerpo usa lo que consume. No hay un alimento específico que debamos evitar ni una simple solución. Eso no nos debe desanimar. En vez, debemos mantenernos alerta a las muchas consideraciones que dificultan el control del peso. Hay varios elementos que desempeñan una función en el gran esfuerzo por comer sano. El reto es controlar tantos factores como podamos. Al menos, debemos reducir el azúcar agregada en lo que comemos y bebemos. Respecto a la grasa, debemos enfocarnos en fuentes saludables de grasa, y por muchas razones, debemos recortar la grasa de la carne que comemos. No debe haber grasas trans artificiales en nuestra comida.

En recapitulación: hay mucho que tener en cuenta al tomar decisiones respecto a lo que comemos.

---

[1]Zeevi, D.; Korem, T.; Zmora, N.; Israeli. D.; Rothschild, D.; Weinberger, A.; Ben-Yacov, O.; Lador, D.; Avnit-Sagi, T.; Lotn-Pompan, M.; Suez, J.; et al. Personalized Nutrition by Prediction of Glycemic Responses. Cell. Volumen 163, Número 5, 19 de noviembre 2015, Páginas 1079-1094 DOI: http://dx.doi.org/10.1016/j.cell.2015.11.001

[2]Ley, R.E. "Obesity and the Human Microbiome," *Current Opinion in Gastroenterology*. 2010;26(1), Páginas 5-11.

[3]Locke, A.E.; Kahali, B.; Berndt, S.I. et al. "Genetic studies of body mass index yield new insights for obesity biology," *Nature*, 12 de febrero, 2015, 518, Páginas197-206 DOI: http://dx.doi.org/10.1038/nature14177

[4]Claussnitzer, M.; Dankel, S.N.; Kim, K.H; Quon, G.; Meuleman, W.; Haugen, C.; Glunk, V.; Sousa, I.S.; Beaudry, J.L.; Puviindran, V.; Abdennur, N.A.; Liu, J.; Svensson, P.A.; Hsu, Y.H.; Drucker, D.J.; Mellgren, G.; Hui, C.C.; Hauner, H. y Kellis, M. "Obesity Variant Circuitry and Adipocyte Browning in Humans," *New England Journal of Medicine*, 19 de agosto, 2015. DOI: http://dx.doi.org/10.1056/NEJMoa1502214

[5]Ludwig, D.S.; Peterson, K.E. y Gortmaker, S.L. "Relation Between Consumption of Sugar-sweetened Drinks and Childhood Obesity: A Prospective, Observational Analysis," *The Lancet*. Vol. 357, 17 de febrero, 2001, Páginas 505-508.

[6] Kearns, C.E.; Schmidt, L.A. and Glantz, S.A. Sugar Industry

and Coronary Heart Disease Research: A Historical Analysis of Internal Industry Documents. Special Communication. Páginas E1-6 *JAMA Internal Medicine* Publicado en internet: 12 de septiembre, 2016

[7]Yang, Q.; Zhang, Z.; Gregg, E.W.; Flanders, W.; Merritt, R.; Hu, F.B. "Added Sugar Intake and Cardiovascular Diseases Mortality Among US Adults," *JAMA Internal Medicine.* 2014;174(4), Páginas 516-524. DOI: http://dx.doi.org/10.1001/jamainternmed.2013.13563.

[8]Luo, S.; Monterosso, J.R.; Sarpelleh, K. and Page, K.A. "Differential Effects of Fructose Versus Glucose on Brain and Appetitive Responses to Food Cues and Decisions for Food Rewards." *Proceedings of the National Academy of Sciences.* 19 de mayo, 2015, vol. 112, Número 20, Páginas 6509–6514, Publicado en internet antes de impresión: 4 de mayo, 2015, DOI: http://dx.doi.org/10.1073/pnas.1503358112

[9]Stanhope, K.L.; Medici, V.; Bremer, A.A.; Lee, V.; Lam, H.D.; Núñez, M.V.; Chen, G.X.; Keim, N.L. y Havel, P.J. "A Dose-response Study of Consuming High-fructose Corn Syrup–sweetened Beverages on Lipid/Lipoprotein Risk Factors for Cardiovascular Disease in Young Adults. *American Journal of Clinical Nutrition.* Publicado en internet antes de impresión: 22 de abril, 2015 DOI: http://dx.doi.org/10.3945/ajcn.114.100461

[10]Ibid.

[11]Wu, H.; Flint, A.J.; Qi, Q.; van Dam, R.M.; Sampson, L.A.; Rimm, E.B.; Holmes, M.D.; Willett, W.C; Hu, F.B. y Sun, Q. "Association Between Dietary Whole Grain Intake and Risk of Mortality: Two Large Prospective Studies in US Men and Women." *JAMA Internal Medicine.* marzo 2015, Volumen 175, Número 3, Páginas 373-384.

[12]Shell, E.R. "Artificial Sweeteners May Change our Gut Bacteria in Dangerous Ways." *Scientific American*. 1ero de abril, 2015

[13]Jotham, S.T.; Korem, D.; Zeevi, G.; Zilberman-Schapira, C.A.; Thaiss, O.; Maza, D.; Israeli, N.; Zmora, S.; Gilad, A.; Weinberger, Y.; Kuperman, A.; Harmelin, I.; Kolodkin-Gal, H.; Shapiro, Z.; Halpern Eran, S. y Eran E. "Artificial Sweeteners Induce Glucose Intolerance By Altering the Gut Bacteria." *Nature*. 9 de octubre, 2014 Vol. 514. Páginas 181-198. DOI: http://dx.doi.org/10.1038/nature13793

[14]"Vitamins." MedlinePlus Medical Encyclopedia. https://www.nlm.nih.gov/medlineplus/ency/article/002399.ht m Actualizado: 2 de febrero, 2015 por Emily Wax, RD, The Brooklyn Hospital Center, Brooklyn, NY. También revisado por David Zieve, MD, MHA, Isla Ogilvie, PhD, y el equipo editorial de A.D.A.M.

[15]de Souza, R.J.; Mente, A.; Maroleanu, A.; Cozma, A.I.; Ha, V.; Kishibe, T.; Uleryk, E.; Budylowski, P.; Schünerman, H.; Beyene, J. y Anand, S.S. "Intake of Saturated and Trans Unsaturated Fatty Acids and Risk of All Cause Mortality, Cardiovascular Disease, and Type 2 Diabetes: Systematic Review and Meta-analysis of Observational Studies. *BMJ* 2015; 351. DOI: http://dx.doi.org/10.1136/bmj.h3978 (Publicado 12 de agosto, 2015)

[16]Dietary Guidelines Advisory Committee, "Scientific Report of the 2015 Dietary Guidelines Advisory Committee." 2015. http://www.health.gov /dietary guide lines/2015-scientific-report/. Acceso: 25 de marzo, 2015.

[17]Mozaffarian, D. y Ludwig, D.S. "The 2015 US Dietary Guidelines: Lifting the Ban on Total Dietary Fat," *JAMA*. 2015;

313(24), Páginas 2421-2422. DOI:
http://dx.doi.org/10.1001/jama.2015.5941

[18]"Dietary Fats." Medline Plus Medical Encyclopedia.
https://www.nlm.nih.gov/medlineplus/dietaryfats.html. Última
actualización de la página: 8 de febrero, 2016; última revisión
del tema: 25 de marzo, 2015.

[19]"Polyunsaturated Fats and Monounsaturated Fats,"
Nutrition for Everyone. Centers for Disease Control and
Prevention.
http://www.cdc.gov/nutrition/everyone/basics/fat/unsaturated
fat.html

[20] Wang, D.D.; Li, Y.; Chiuve, S.E.; Stampfer, M.J.; Manson,
J.E.; Rimm, E.B.; Willett, W.C. y Hu, F.B. "Association of Specific
Dietary Fats with Total and Cause-Specific Mortality." *JAMA
Intern Med*. doi:10.1001/jamainternmed.2016.2417 Publicado
en internet antes de impresión: 5 de julio, 2016.

[21]"Dioxins and Their Effects on Human Health. "Hoja
informativa No. 225. Organización Mundial de la Salud.
Actualización: junio 2014.
http://www.who.int/mediacentre/factsheets/fs225/en/

[22]"Questions & Answers About Dioxins and Food Safety,"
Food and Drug Administration. Febrero 2012. Actualización: 19
de junio, 2013 http://www.fda.gov
/Food/FoodborneIllnessContaminants/ChemicalContaminants/
ucm077524.htm

[23]Mead, N.M. "Cancer Collusion? Dietary Fat May Modify
Dioxin-Induced Mammary Cancer Risk," *Environmental Health
Perspectives* 118:a217-a217 (2010). DOI: http://dx.doi.org/
10.1289/ehp.118-a217b [en la red: 1ero de mayo, 2010].

[24]Merrill, M.L.; Harper, R.; Birnbaum, L.S.; Cardiff, R.D. y Threadgill, D.W. "Maternal Dioxin Exposure Combined with a Diet High in Fat Increases Mammary Cancer Incidence in Mice," *Environmental Health Perspectives* 118:596-601 (2010). DOI: http://dx.doi.org/10.1289/ehp.0901047 [en la red: 9 de diciembre, 2009]

[25]vom Saal, F.S. y Myers, J.P . "Bisphenol A and Risk of Metabolic Disorders," *JAMA*, 17 de septiembre, 2008. Vol. 300, Número 11, Páginas 1353-1355.

[26]Lang I.A.; Galloway T.S.; Scarlett, A.; Henley, W.E.; Depledge, M.; Wallace, R.B. y Melzer, D. "Association of Urinary Bisphenol: A Concentration with Medical Disorders and Laboratory Abnormalities in Adults. *JAMA*. 2008; 300(11), Páginas 1303-1310.

[27]Richter, C.A.; Birnbaum, L.S.; Farabollini, F.; Newbold, R.R.; Rubin, B.S.; Talsness, C.E.; Vandenbergh, J.G.; Walser-Kuntz, D.R. y von Saal, F.S. "In Vivo Effects of Bisphenol A in Laboratory Rodent Studies. *Reproductive Toxicology*. 2007; 24(2), Páginas 199-224.

[28]Gore, A.C.; Crews, D.; Doan, L.L.; Merrill, M.L.; Patisual, H. y Zota, A. "Introduction to Endocrine Disrupting Chemicals (EDCs): A Guide for Public Interest Organizations and Policymakers." *Endocrine Society*. Diciembre 2014, Página 16.

[29]"Dioxins and Dioxin-like Compounds in the Food Supply: Strategies to Decrease Exposure." Committee on the Implications of Dioxin in the Food Supply, National Research Council http://www.nap.edu/catalog/10763.html

CAPÍTULO 5

Estrategias para ganar

Yo sabía que tenía que cambiar cómo, cuándo y qué comía. Me daba cuenta de que esto era parte de la reformulación que debía hacer para comer de manera saludable. ¿Cómo lo iba a hacer, con mi horario de trabajo tan atareado e impredecible? Tenía que pensar en una estrategia que funcionara para mí y que otros también pudieran usar.

Era interesante leer sobre personas famosas que tienen personal que les prepare las comidas, pero pocos de nosotros tienen un chef en casa. Entonces, era un reto comer de manera saludable para controlar mi peso y al mismo tiempo cocinar para mi familia. Pronto me di cuenta de que si comía más sano, entonces todos lo harían. Se me ocurrieron algunas reglas simples que me guiarían en materia de comidas y peso.

Estas estrategias hicieron que los cambios fueran más fáciles. Note que dije "más fácil" y no "fácil". Sé que nunca es fácil cambiar lo que se hace o cómo se piensa.

Es difícil, porque a menudo pensamos o actuamos sin detenernos a considerar las consecuencias. Y ahora tenía que detenerme y pensar en lo que estaba haciendo para reconocer y aceptar mi hambre leve. Toma mucha atención y concentración captar las señales corporales y sociales que nos impulsan a comer. Y hay que hacer esto incluso si no se tiene ganas de pensar en lo que se está haciendo.

Me guiaron cuatro estrategias para comer más sano: placer, porción, proceso y paciencia. Esto me ayudó a cambiar cómo pensaba sobre qué y cuánto comer y beber. Una vez que acepté esta nueva manera de pensar, podía seguir mi plan durante el día. Estas son las estrategias de alimentación sana que todos necesitamos desarrollar.

Placer

La comida no es mi enemigo. El chocolate, por ejemplo, es un alimento que podemos disfrutar en pequeñas cantidades.[1] Y disfruto profunda y plenamente cuando como un pedazo de chocolate oscuro, especialmente si tiene más de 70% de cacao. Soy una de esas personas que se puso a bailar de felicidad cuando los estudios señalaron los beneficios del chocolate oscuro. Me encanta el aroma del chocolate, y su textura cuando lo muerdo. El chocolate llena mi boca con sabores que van hasta la garganta y llenan un lugar especial que me hace sonreír.

Tal vez tengo que pensar sobre qué y cuánto comer, pero también celebro el hecho de que me gusta comer y disfruto la comida. Si iba a comer algo, iba a disfrutar comerlo. Como ahora estaba limitando la cantidad de comida que consumía en un día, no iba a desperdiciar mis calorías en comida que no era sabrosa. No iba a comer algo simplemente porque la comida estaba frente a mí, era gratis o porque todos los demás la estaban comiendo.

Cada vez que comiera, iba a saborear la comida. El placer toma tiempo y le asignaría a la actividad de comer una cantidad razonable de tiempo. No iba a embutirme la comida en la boca y masticar sin pensar mientras me preparaba para embutirme el siguiente pedazo en la boca. El placer de comer significa darse tiempo para gozar los sabores. Si usted no tiene tiempo para saborear su comida, entonces tómelo como una oportunidad para comer menos. Evite comer rápido, porque le resta importancia a la experiencia de comer y debilita la capacidad de conexión entre el cuerpo y el cerebro que nos informa que estamos llenos. Me dije a mí misma que comer a la carrera es el enemigo de comer sanamente. Lo sabía por lo que otros habían compartido conmigo y lo que yo misma había observado.

Comer lentamente lo ayuda a sentir menos hambre.

Hay muchos estudios que respaldan la importancia de comer lentamente. Eric Robinson[2] y sus colegas de los Departamentos de Ciencias Sicológicas y Bioestadística de la Universidad de Liverpool, querían revisar todos los experimentos existentes en los cuales se variaba la velocidad al comer para ver los efectos, si había, en la cantidad que se comía y la sensación de hambre. Se enfocaron en 22 estudios con esas características y observaron que todos los estudios llegaron a la conclusión de que las personas que comían más lentamente comían menos. Comer menos ayuda a sentir menos hambre.

El descubrimiento clave de todos los estudios es que, para comer menos, hay que comer lentamente. ¿Pero cómo hacerlo si vivimos en una sociedad que está diseñada para comer a la carrera? Robinson y sus colegas no dieron una técnica específica para conseguir que alguien comiera despacio. En vez, dijeron que: "reducir la velocidad al comer merece atención tanto en un contexto clínico como en el entorno de salud pública". La importancia del placer al comer se expresa en su afirmación de que: "La velocidad al comer está directamente relacionada a la menor duración en la exposición sensorial por unidad (en gramos o kilocalorías) de comida". Comer lentamente les da a nuestros sentidos más oportunidad para sentir placer cuando comemos.

Entonces, ¿qué tan lento es lento? Depende de usted y de lo que está comiendo. No le voy a decir cuántas veces debe masticar por minuto o por bocado. Lo mejor es observar cuánto le toma terminar una comida. Si llena su plato (incluso si es ensalada sin aderezo) y lo devora en menos de diez minutos, está perjudicando sus esfuerzos para comer sano. Recuerde, se trata de placer, no de rapidez.

Parte del placer de comer también requiere que coma porque su cuerpo necesita nutrición y no porque comer se ha convertido en una forma para enfrentar el estrés, lo cual se ha comprobado que no es una práctica saludable. Hay evidencia de que cuando usted come por estrés, pierde sensibilidad y no siente si sigue con hambre o ya se llenó.[3] En otras palabras, cuando come por estrés, termina comiendo más. Y todos sabemos lo fácil es que eso pase.

Innumerables personas me han contado que estaban sentadas con un tazón de *chips* al costado y antes de darse cuenta, el tazón estaba vacío. Los *chips* no se habían evaporado, la persona se los había comido porque estaba enfrascada en lo que estaba viendo, o se sentía nerviosa, triste, deprimida u otra emoción la embargaba. Ni siquiera se dieron cuenta de cuánto habían comido. Comer por placer significa comer lentamente y estar consciente de su comida.

Comer mientras está haciendo multitud de cosas no es una buena combinación. Si es el momento de comer, debe comer. Eso no significa que debe cortar toda conversación. Obviamente, si tiene la boca llena no va a hablar, pero una estrategia relacionada para controlar lo que come es que, si alguien le está hablando, usted no debe comer. Su cerebro tiene un límite en el número de canales que puede procesar a la vez. Es difícil escuchar con atención a alguien y saborear su comida al mismo tiempo. Por eso, para disfrutar plenamente su comida, cuando alguien le hable, baje su tenedor y sea todo oídos. Escuchará mejor y también le dará tiempo a su estómago para que le diga a su cerebro que está empezando a sentirse lleno.

A veces, por supuesto, hay que comer rápidamente porque tiene poco tiempo y su hambre es más que leve. Para esos momentos debe estar preparado con algo rápido, nutritivo y fácil de comer que lo sacie. Puede ser una fruta, un pepinillo encurtido, una zanahoria o un pedazo pequeño de chocolate oscuro. Descubrí que para mí, una *madeleine*, un pastelito esponjado muy pequeño, con su característica forma de concha de abanico, y sus cien calorías, era la mejor manera de reducir la sensación de hambre hasta un nivel más manejable como "quisiera comer", y todavía estar dentro de mi límite de azúcar para el día. Y también podía llevar una *madeleine* en mi bolso si necesita mordisquear algo hasta mi próxima comida. Era suficientemente pequeña para saborearla y sentir satisfacción. Aprendí a ahorrar calorías para cuando tuviera tiempo de comer lento y disfrutar una comida real.

Todos nosotros debemos encontrar lo que nos sacia de una manera sana y satisfactoria. El objetivo es siempre disfrutar lo que comemos, no solo comer a la carrera o rellenarse de comida.

Porción

Nuestras ideas sobre el tamaño de la porción se entrelazan con nuestra historia personal. Si viene de una familia grande, su concepto de porción puede ir desde "voy a servirme un pedacito para que alcance para todos", hasta "me voy a servir todo lo que pueda porque no quedará para repetirse". En otras casas, una porción pequeña se asocia con escasez de comida, un presupuesto limitado o frugalidad.

Para quienes vienen de familias inmigrantes o de pocos recursos, la abundancia de comida es un reflejo del éxito: significa que triunfó. Servir enormes cantidades de comida trasmite que usted es muy exitoso, capaz de proveer para su familia y para otros, y que ya no siente hambre. No solo se trata de comer la comida que le gusta, sino que haya en exceso para que sobre. La bolsita "para el perro", con las sobras, no es una práctica universal entre la gente que sale a comer fuera. De la misma manera, *"supersize"* no es solo una estrategia de mercadeo, sino una parte del imperativo cultural de que "más es mejor".

Todo esto dificulta comer o servir pociones más pequeñas. El hecho es que usualmente las porciones contienen más de lo necesario para saciar a la mayor parte de las personas. Esto es un gran problema, porque si le sirven más, va a comer más. Esto se llama el "efecto del tamaño de la porción". Aunque sabemos que este efecto es cierto, desconocemos las razones por las que comemos más.[4]

Encontré que la mejor manera de empezar era saber cuánta comida realmente estaba comiendo y cuál sería una buena porción para mí. Sé que las etiquetas de los productos proporcionan información valiosa sobre nutrición, pero respecto al tamaño, a veces no era realista. Por ejemplo, una lata pequeña de sardinas (4.375 onzas o 125 gramos) en salsa marinara era una porción para mí, pero la etiqueta decía 2.5 porciones. Es una lección importante, porque a veces mi idea de porción no corresponde con la porción en la etiqueta. Entonces, ¿cómo calculo lo correcto para mí?

Con el fin de saber el tamaño de una porción razonable, hice tres cosas. Primero, compré por internet una pequeña báscula digital. Me costó menos de $20 incluido el envío. Segundo, saqué mis tazas y cucharas medidoras y las puse en la mesa junto a mi nueva báscula. Luego empecé a medir todo lo que comía en casa para poder saber la cantidad de calorías y cuánto sería razonable comer en cada comida.

Mis descubrimientos iniciales fueron un baldazo de agua fría. Rápida y tristemente me di cuenta que una taza de fideos o arroz (siendo honesta, y sin presionar el contenido en la taza), es menos comida de lo que pensaba. De hecho, era bastante menos comida de lo que pensaba. Probé varios tipos de fideos, pero era similar. Me pasó lo mismo cuando medí arroz o puré de papas. La conclusión fue que debía disminuir mis porciones de fideos, arroz o papas.

Cuando veo a la gente llenar su plato en un bufet de ensalada, puedo ver cómo las 50 calorías de la ensalada de hojas verdes se multiplican con muchísimas más calorías al agregarle un poco de los alimentos usuales opcionales. Agregar una modesta porción de 1/2 taza de frijoles rojos (110 calorías), ¼ taza de pedacitos de tocino (100 calorías) y ¼ taza de aderezo de ensalada (100 calorías) trasforma la ensalada de 50 calorías en una de 360 calorías. Luego, si agrega bebidas y el resto del almuerzo, usted probablemente consume cerca del límite calórico diario de una persona típica.

La multiplicación de calorías empeora por el hecho de que todo es mucho más grande de lo necesario. No son solo las bebidas azucaradas las que son gigantes. Los sándwiches y panes son tan enormes que por sí solos completan una parte desmesurada del límite calórico por día, lo cual no tiene sentido. Una vez que añade un poquito de mayonesa (de hecho, una cucharada no es suficiente para cubrir adecuadamente una tajada de pan), ya no quedan calorías para ponerle relleno al sándwich. Lo que es peor, como pocas personas tienen horarios de trabajo flexibles, no hay tiempo para hacer más ejercicio a fin de tratar de compensar las calorías que se acaba de comer de un bocado, porque tenía prisa para volver a sus obligaciones.

En lo que respecta a comida y porciones, tiene que empezar por medir para saber cuánto realmente está comiendo. Le sorprenderá; a mí me sigue sorprendiendo.

Proceso

Entiendo que a todos nos encantan ciertos sabores. La ciencia alimentaria deja en claro que nos gustan las cosas dulces. También nos gusta la comida que nos hace sentir bien. Para comer menos, yo sabía que tenía que comer esos alimentos que me ayudaban. Aprendí de inmediato que los mejores productos son los menos procesados.

Cuando no estoy en casa, no hay opciones de comida sin procesar y si hay, no saben bien. En la calle, el aeropuerto o el centro comercial, las opciones saludables brillan por su ausencia. Los restaurantes de servicio o comida rápida captan nuestro interés con sus opciones de bajo costo y fácil acceso. Pero incluso si la comida tiene relativamente pocas calorías, a menudo tiene mucha sal (que le hace beber más líquido), jarabe de maíz con alto contenido de fructosa (que le hace sentir hambre) y un surtido de guarniciones, salsas y aceites repletos de calorías. Es difícil comer una comida sana incluso si escoge el pollo horneado o la ensalada, porque todas las guarniciones que lo alientan a consumir no ayudan. Y olvídese de las papas fritas; no valen la pena las calorías.

Todo lo procesado no es malo, ni todo lo natural es bueno. Me recuerdo a mí misma que el arsénico es natural, pero no es bueno. Lo que nos preocupa de los alimentos procesados es que hay muchos ingredientes agregados y el procesamiento en sí mismo no ayuda. También encuentro que la mayoría tiene demasiada sal. Además de no querer demasiada sal en mi alimentación, la comida cargada de sal me hacía retener agua. Por otro lado, cuando una etiqueta decía natural, no tenía idea de lo que significaba en realidad.

Decidí que para comer sano y ahorrar dinero, prepararía mi propia comida y compraría comida en temporada o en oferta. Esta era una manera fácil de variar lo que comía. Aprendí a apreciar que lo que estaba en temporada era más sabroso, más fresco y menos caro. Podía controlar mejor la calidad y las porciones de lo que comía si usaba alimentos e ingredientes reales. Mi congelador se volvió mi mejor amigo.

Una buena regla de sentido común para comer sano es limitarse a productos con ingredientes que uno puede pronunciar o, al menos, reconocer.

Paciencia

"Quiero lo que quiero cuando lo quiero" es el tema de demasiados momentos en nuestra existencia. De alguna manera, nuestra vida cotidiana se ha trasformado hasta tal punto que si queremos algo, lo queremos inmediatamente. La mayoría de los servicios que nos rodean están pensados para hacer que las cosas pasen rápido. Amazon creció porque entrega en dos días y, a veces, en horas. Hacemos todo lo que podemos para evitar o acortar las filas. No esperar en fila es la meta.

Cuando se trata de desarrollar nuevos hábitos de comida, tenemos que aprender a ser pacientes. Eso significa esperar. No solo es cuestión de comer lentamente. Las metas que nos proponemos solo son razonables si nos damos tiempo para lograrlas. Más aun, comer sano es un hábito que debe durarnos toda la vida. Es parte de nuestra vida. La clave es encontrar la combinación de estrategias que funcione para usted a fin de que pueda apreciar el hambre leve, disfrutar lo que coma y saber el valor de lo que consume para el resto de su vida.

Estrategias para comer

No coma en base a lo que otros comen. Usted tiene que comer lo que usted necesita y encontrar placer en ello. Otros pueden elegir comer más o menos que usted. El mayor error que veo es que las personas ven lo que los demás se ponen en el plato y se sirven la misma cantidad. Cada cuerpo usa el alimento de diferentes formas. La investigación que mencioné antes nos dice que dos personas que comen la misma comida tienen diferentes resultados con respecto a la manera en que su cuerpo usa el alimento. En particular, este es el caso de los hombres comparados con las mujeres. En realidad, los hombres necesitan comer más que las mujeres.

Mida su comida. Cuando coma en casa es buena idea tener una báscula de comida y cucharas y tazas medidoras cerca de donde come. Esto ayudará a aumentar la precisión de sus cálculos respecto al tamaño de la porción cuando esté en otro lado. Esto también lo ayuda a aprender cuántas calorías usted realmente está comiendo. Para ser sincera, fue así que aprendí cuánta comida realmente consumía. Estaba comiendo mucho más de lo que pensaba. Una taza de fideos suena como una porción grande, pero no lo es. La mayoría de los restaurantes sirven dos tazas. Si añade un poco de salsa de tomate y un poco de queso rallado, sus fideos tienen unas 600 calorías.

Encuentre un bocadillo que lo haga feliz. Anteriormente, confesé la satisfacción que me da comer las mágicas *madeleines*. También me gusta el helado; un poquito es suficiente. Poder darme estos dos gustitos cuando quiero, me ayuda a mantenerme dentro del plan. Cada uno tiene aproximadamente 100 calorías y son mejores y menos caros que todos los bocadillos preparados de 100 calorías que venden las tiendas. Y me hacen sentir mucho más satisfecha.

Planifique los gustitos. Por supuesto, hay alimentos que sabemos que tienen muchas calorías. Eso solo significa que, de vez en cuando, tenemos que ajustar el número de calorías y actividades para poder darnos un gustito. Eso hago con la pizza. Disfruto comerla y no quiero renunciar a comerla para siempre. De vez en cuando, planifico pizza. Sé que una porción de pizza de queso al estilo de Nueva York tiene aproximadamente 300 calorías, y como dos pedazos. De modo que ese día como menos o hago más ejercicio para poder permitirme el gusto de comer pizza. Cuando como mis dos pedazos de pizza, no los devoro; saboreo y disfruto cada bocado.

[1]Golomb, B.A.; Koperski, S. and, White, H.L. "Association Between More Frequent Chocolate Consumption and Lower Body Mass Index." *Archives of Internal Medicine.* Vol. 172 (Número 6) 26 de marzo, 2012, Páginas 519-521.

[2]Robinson, E.; Almiron-Roig, E.; Rutters, F.; de Graaf, C.; Forde, C. G.; Tudur Smith, C.; Nolan, S.J. y Jebb, S.A. "A Systematic Review and Meta-analysis Examining the Effect of Eating Rate on Energy Intake and Hunger" *American Journal Clinical Nutrition* 2014;100, Páginas 123–51.

[3]Tan, C.C. y Chow, C.M. "Stress and Emotional Eating: The Mediating Role of Eating Dysregulation," *Personality and Individual Differences*, Vol. 66, agosto 2014, 1-4. DOI: http://dx.doi.org/10.1016/j.paid.2014.02.033

[4]Herman, C.P.; Polivy, J.; Pliner, P. y Vartanian, L.R. "Mechanisms Underlying the Portion-size Effect," *Physiology & Behavior*, Vol. 144, mayo 2015, 129-136. DOI: http://dx.doi.org/10.1016/j.physbeh.2015.03.025.

CAPÍTULO 6

Cómo comer y hacer ejercicio

Cuando miré todo lo disponible sobre control de peso, encontré que los libros más leídos fueron escritos por médicos, nutricionistas, dietistas y otros expertos en el campo de la salud. Aplican sus conocimientos y valiosas experiencias para crear una estrategia o plan para ayudar a la gente a mantener un peso saludable. Sin embargo, los sólidos principios científicos que a menudo se usan para enmarcar cada enfoque parecen tener, a lo más, un beneficio limitado. Cada enfoque permite que las personas mejoren hasta cierto punto antes de volver al punto inicial. No es un yoyó, sino un bumerán.

Conversaba con mi amigo Alan sobre el concepto de hambre leve y cuán importante era para el control del peso. Su respuesta fue inflexible y predecible:

Alan: *No quiero tener hambre.*

Yo: *Es lo que tienes que aprender para realmente perder peso.*

Alan: *Perdí peso con la dieta de las palomitas y café. La hice por varias semanas.*

Yo: *Sí, perdiste peso y luego recuperaste todo el peso perdido.*

Respecto a la mecánica de lo que hay que hacer para controlar el peso, siempre implica una combinación de modificar lo que se come y hacer más ejercicio.

Comer

Las muchas opciones disponibles para conseguir que una persona coma de manera diferente y aumente su actividad física cubren una amplia gama de posibilidades. Algunos programas restringen las calorías a 1,000 por día o menos. Otros le dicen que se enfoque en comer alimentos bajos en carbohidratos. Y otros ofrecen una píldora mágica para hacerle perder peso.

Y aunque cada estrategia o plan puede tener algunas partes útiles para usted, el hecho es que pasados dos años, la mayoría de gente que sigue alguno de estos planes recupera el peso perdido y. a menudo, incluso un poco más. Hay muchos estudios sobre pérdida de peso que documentan este efecto bumerán de ganar peso. Yo sé que este bumerán de ganar peso es muy real, porque lo he experimentado muchas veces. Como científica conductual, investigadora y propugnadora, sabía que tenía que haber una manera mejor.

A medida que revisaba los diferentes planes, me sorprendió darme cuenta de que había intentado muchos de ellos. Desde la Atkins, el ayuno, la dieta South Beach, hasta la dieta del pomelo. Había probado varios planes. Lograba cierto éxito, luego, tras pocos meses, empezaba a ver que recuperaba las libras perdidas.

No podía evitar sonreír cuando escuchaba que los expertos en perder peso, con todas sus credenciales, me decían que solo necesitaba esforzarme un poco más. Yo me estaba esforzando mucho, pero lo que ellos recomendaban no era una solución que funcionaba a largo plazo para mí.

Pero tal vez, el problema también radicaba en que la gente que supuestamente debía ayudar tenía una opinión negativa de la gente con exceso de peso. ¿Usted llevaría a su hijo con un pediatra al que no le gustan los niños? Por supuesto que no. Sin embargo, muchas veces, más de lo que se imaginaría, la personas mismas que se supone que quieren ayudar tienen una opinión negativa de la gente a la que supuestamente están ayudando. En una encuesta de 187 miembros de la Asociación Británica de Dietistas, estos expresaron que consideraban que la gente con sobrepeso u obesidad eran responsables del exceso de peso. Lo que resulta aun más preocupante es que los dietistas tenían peores opiniones de las personas obesas que de las personas con sobrepeso.[1]

En otro estudio, los investigadores analizaron los datos de catorce bases de datos independientes y las respuestas de 10,043 personas. El estudio buscaba entender las actitudes de profesionales de la salud respecto al control de peso. Estas actitudes se clasificaban bajo ocho indicadores de actitud. Los resultados mostraron que era más probable que los profesionales de la salud con peso normal se sintieran más confiados respecto a sus hábitos de control de peso, que percibieran menos barreras para el control de peso, que tuvieran mayores expectativas de resultados positivos, que tuvieran una identidad profesional más fuerte y actitudes más negativas respecto a personas obesas, en comparación con profesionales de la salud que tenían sobrepeso o eran obesos.[2] No me parece bien que las personas mismas que se supone que nos tienen que ayudar no aprecien nuestros esfuerzos.

Pero el reto básico para todos nosotros es descubrir qué estrategia de alimentación funciona mejor para nosotros. Por eso el Dr. Frank Sacks, profesor de Prevención de Enfermedades Cardiovasculares en el Departamento de Nutrición de la Facultad de Salud Pública de Harvard, y sus colegas[3] trataron de descifrar si había un tipo de fórmula ideal para el porcentaje de grasas, proteínas y carbohidratos con el fin de perder peso. En su estudio, trabajaron con 811 adultos por un periodo de dos años que estaban de acuerdo en modificar lo que comerían.

Todas las personas incluidas en el estudio tenían un BMI menor a 40, no tenían diabetes ni problemas del corazón y no estaban tomando ninguna medicina que afectara su peso. En base a una entrevista y cuestionario, se determinó que las personas del estudio estaban motivadas para perder peso.

Estas personas altamente motivadas fueron asignadas a una de cuatro dietas. Evitaron usar nombres populares o comerciales para cada dieta, con el fin de no parcializar a los voluntarios. En vez, las cuatro dietas se describieron así:

- baja en grasa, proteína promedio (20% grasa, 15% proteína, 65% carbohidratos);
- baja en grasa, rica en proteína (20% grasa, 25% proteína, 55% carbohidratos);
- rica en grasa, proteína promedio (40% grasa, 15% proteína, 45% carbohidratos) o
- rica en grasa, rica en proteína (40% grasa, 25% proteína, 35% carbohidratos).

Cada persona también tenía la oportunidad de participar en sesiones individuales y grupales durante los dos años del estudio. Los niveles de actividad física eran similares en los cuatro grupos.

La buena noticia fue que la mayoría (80%) de las personas completaron el estudio. Además, después de seis meses, la mayoría había perdido alrededor de 14 libras o 7% de su peso. No recuperar el peso perdido fue lo más difícil, y después de 12 meses, la mayoría había empezado a recuperar parte del peso. Lo más interesante era que "la saciedad, hambre y satisfacción con la dieta y la asistencia a las sesiones grupales era similar para todas las dietas". En otras palabras, no importaba que las dietas fueran diferentes, porque las personas tuvieron experiencias similares y perdieron peso. Y las personas que asistieron a sesiones grupales tenían mayores probabilidades de perder peso

Sacks y sus colegas también midieron la cintura de todas las personas y encontraron que no había una diferencia significativa en la circunferencia de cintura entre los cuatro grupos. Pero el resultado más significativo fue que al cabo de seis meses y, nuevamente, al cabo de dos años, todos los participantes habían disminuido sus factores de riesgo para enfermedades cardiovasculares y diabetes.

Una de las conclusiones importantes de este estudio fue que cualquier "tipo de dieta con el propósito de perder peso, cuando se enseña con entusiasmo y persistencia, puede ser eficaz". Obviamente, cambiar cómo comía la persona los había beneficiado y no importaba qué tipo de dieta habían seguido. Lo que sí ayudó fue ceñirse a ella y ser positivo. La cuestión era adoptar un nuevo enfoque y cumplirlo.

Aunque hay muchos programas para perder peso que son comerciales o propiedad legal de alguna entidad, es difícil saber cuál es el mejor. Todos tienen publicidad seductora. Muchos tienen fotos del "antes" y el "después" que muestran lo bien que funcionan.

La Dra. Kimberly Gudzune, profesora de medicina y especialista en pérdida de peso de la Facultad de Medicina de la Universidad Johns Hopkins, y su equipo,[4] analizaron recientemente toda la gama de programas para ver lo que podían descifrar. Empezaron por hacer una lista de todos los programas que podían encontrar. Terminaron con 141 programas diferentes. Redujeron la lista a 32 programas después de eliminar programas que no se podían encontrar en Estados Unidos, así como los que requerían tomar un medicamento o suplemento en particular o vivir en un centro especial. Los 32 programas consistían en grupos, comidas muy bajas en calorías o programas auto dirigidos. Consiguieron y evaluaron 4,212 citas sobre esos programas y analizaron independientemente todo lo que encontraron.

Fueron muy cuidadosos al redactar sus conclusiones donde decían que: "los profesionales clínicos deben considerar la opción de recomendarles a sus pacientes con sobrepeso y obesidad que recurran a Weight Watchers o Jenny Craig". Además, en el Recuadro 1 de su estudio, enumeran los costos mensuales de los programas. Weight Watchers estaba entre los más baratos ($43 por mes) y Jenny Craig estaba entre los más caros ($570 por mes). Sus conclusiones me parecieron alentadoras porque decían que "según nuestros resultados, los participantes de Weight Watchers consistentemente muestran mayor pérdida de peso que los participantes del grupo de control/educacíon y que mantienen la pérdida de peso más de 12 meses".

Conozco a varias personas que han tenido mucho éxito con Weight Watchers, pero el reto sigue siendo el mismo. ¿Cómo mantener la pérdida de peso que tanto costó lograr? Para mí, Weight Watchers no era un programa que podía encajar en mi impredecible jornada. Intenté otros enfoques y, como era usual, me culpé a mí misma cuando un plan que parecía funcionar para otros, no funcionaba para mí.

Encontrar el mejor plan.

Estaba tratando de comprender mejor la razón por la cual muchas personas tenían éxito en un tipo de programa, mientras otras no, cuando me topé con un estudio del 2015 de los doctores Martin Reinhardt y Susanne Votruba.[5] Estos investigadores de la Rama de Investigación Clínica y Epidemiología de Phoenix realizaron una investigación exhaustiva de doce personas que tenían exceso de peso. Empezaron por medir cuánta energía quemaban después de un día de ayuno. No dieron a conocer esta información y continuaron con la siguiente fase.

Luego, todos los voluntarios pasaron once semanas internados en la Sección de Investigación Clínica sobre Diabetes y Obesidad del Instituto Nacional de Diabetes y Enfermedades Digestivas y Renales en Phoenix. En ese centro, estaban limitados a actividades mayormente sedentarias y se les pidió que no hicieran ejercicio. Además, se controlaba todo lo que comían. Por las primeras tres semanas, los voluntarios comieron una dieta estándar para mantener el peso (DMP) y se determinaba el número de calorías según peso y sexo. Su comida era 50% carbohidratos, 30% grasa y 20% proteína. Después de esto, por seis semanas, los voluntarios tomaron una dieta líquida que tenía la mitad de las calorías que consumían usualmente. En las últimas dos semanas, los voluntarios comieron otra vez una dieta de mantenimiento de peso (DMP), estándar 100%, pero esta vez, estaba basada en su nuevo peso.

Los resultados mostraron lo que siempre supe, lo que había visto con mis amigos y que había experimentado yo misma. Incluso cuando se controlaban factores como edad, raza, sexo y peso inicial, los datos mostraron dos tipos de personas. Algunas tenían un metabolismo frugal y otros tenían un metabolismo derrochador. Los frugales tenían un metabolismo que se ponía más lento tras el ayuno. El metabolismo de los derrochadores no se ponía más lento. El peso que perdía la persona dependía de si su metabolismo era frugal o derrochador. La conclusión de Votruba: "aunque los factores conductuales como cumplimiento de la dieta afectan la pérdida de peso hasta cierto punto, nuestro estudio sugiere que debemos tener una visión global que incluye la fisiología individual, y que la pérdida de peso es una situación donde ser frugal no ayuda".

Entonces, ¿cómo escoger el plan de alimentación a seguir? Hay tantas opciones que es difícil escoger. El libro de Judy Rodríguez *The Diet Selector*[6] brinda información valiosa y resumida sobre 50 dietas populares para perder peso y 25 dietas para controlar enfermedades y/o promover la salud. La Guía de

123

Evaluación Rápida ayuda a elegir cuál plan le acomoda mejor.

Algunos de estos planes solo tienen propósitos de corto plazo, pero otros plantean cambios para toda la vida. Lo especial de este libro es que es fácil ver la variedad de opciones disponibles para controlar el peso. Solo acuérdese que el propósito de la comida es proporcionar nutrición a todas las partes de su cuerpo.

Un estudio del 2015 dirigido por investigadores clínicos de los Institutos Nacionales de Salud (NIH) en Bethesda, Maryland, da más información acerca de cómo comer. En agosto del 2015, el titular fue: "Estudio de NIH: Una dieta baja en grasa es mejor que una dieta baja en carbohidratos para perder peso".[7] Como sucede a menudo, el titular se equivocó totalmente. Estudiaron a 10 hombres y 9 mujeres que aceptaron seguir una dieta restringida y vivir en el Centro Clínico del NIH mientras comían la dieta restringida. Todos aceptaron pasar dos semanas en el Centro, irse a casa por dos a cuatro semanas y luego regresar al Centro por otras dos semanas. Durante cada sesión de dos semanas, las personas comieron una dieta rica en grasas o rica en carbohidratos. Cuando los participantes regresaron para la segunda sesión de dos semanas, recibieron otra dieta. Durante el tiempo que las personas estaban en el Centro, hacían ejercicio durante una hora en una caminadora a un ritmo predeterminado. Además, cuando estaban en el Centro, pasaban cinco días en una cámara metabólica. Después de todo esto, notó Hall que: "probablemente es más importante escoger una dieta que lleva a una reducción en la ingestión de calorías que se puede sostener a largo plazo".[8] En otras palabras, escoja una dieta que seguirá con usted por el resto de su vida.

Añada a esto las conclusiones de un estudio reciente que examinó el nivel de glucosa de 800 personas todas las semanas y su reacción a 46,898 comidas.[9] Encontraron que incluso cuando comían los mismos alimentos, el cuerpo de cada persona no reaccionaba de la misma forma. De hecho, lo que encontraron fue una gran variabilidad. Su conclusión fue que tener las mismas recomendaciones de alimentación para todos no es tan útil como se asumía. El mejor plan de alimentación es personalizado y hecho a su medida.

Además de lo que comemos, también tenemos que pensar bien en lo que bebemos. Todos necesitamos entender mejor nuestro cuerpo y lo qué significa hidratarse. Al nivel más básico, necesitamos hidratarnos para que las células tengan agua, ya que están mayormente compuestas de este líquido. Además, la mayoría de las reacciones químicas que ocurren a nivel celular requieren agua. Esto también es verdad para nuestro metabolismo en general. Es más, para que los sistemas de nuestro cuerpo realicen apropiadamente la extracción, utilización y almacenamiento de nutrientes en nuestra comida, necesitamos agua. Por eso el agua es clave para la salud. También explica por qué no toda la hidratación es la misma. (Los únicos que dicen que toda hidratación es igual son los que están tratando de vendernos un producto que debemos evitar.) Si desea mantenerse hidratado, la manera más fácil y menos cara es beber agua.

El mejor plan es el que funciona para usted, no solo a corto plazo, sino por el resto de su vida. En mi plan, comía todo lo que quería comer; solo que comía menos. Algunos de los mejores consejos para comer sano son:

Es útil contar calorías. Es una excelente manera de saber el valor de su comida en términos de nutrición y energía.

Coma nutrientes. A menudo se recomiendan suplementos y vitaminas, pero tenga en cuenta que su cuerpo tal vez no los absorba tan bien. Las compañías de suplementos nutricionales, a diferencia de las farmacéuticas, no tienen que probarle a la Dirección de Alimentos y Medicamentos (FDA por su sigla en inglés) que sus productos son seguros o eficaces.[10] Estos productos pueden decir que sus beneficios son seguros y naturales, pero las experiencias de los usuarios de los suplementos nutricionales pueden ser diferentes de lo que promete la etiqueta. Múltiples estudios encontraron que más de la mitad de los productos contienen ingredientes que no se mencionan en el frasco. Estos ingredientes desconocidos pueden ocasionar peligrosas interacciones con medicamentos o reacciones alérgicas severas.[11,12]

Evite el alcohol. Aproximadamente 5 onzas de vino, 1 ½ de alcohol u 8 onzas de cerveza tienen cerca de 100 calorías. El tamaño usual es más grande que eso y los tragos mezclados tienen un promedio de 300 calorías. Si evita el alcohol, se ahorra calorías sin ningún valor nutritivo y ahorra dinero. Además, su hígado le agradecerá su decisión.

Coma despacio. El estómago se toma su tiempo para digerir, y el cerebro se toma incluso más tiempo para reconocer la saciedad. Al comer despacio, le da a su cerebro tiempo para darse cuenta de que está lleno. Si no puede comer despacio aunque quiera, entonces comience cada comida con alimentos que le gusten y que tengan pocas calorías.

Tome mucha agua. Recuerde que sus células necesitan agua para desempeñar la mayoría de sus funciones.

Coma un poquito de proteínas. Tenga en cuenta que las proteínas son comida que lo sacia a largo plazo. Al principio, cuando reduje la cantidad de comida que consumía, encontré que dos onzas de jamón en el almuerzo me mantenían satisfecha hasta mi bocadillo de la tarde.

Coma un pedazo de fruta en lugar de tomar jugo. Tomar jugo, incluso el que es totalmente natural, es menos ventajoso que comer fruta. Cuando usted come la fruta, le toma más tiempo, tiene la oportunidad de saborearla y aprovechar los beneficios de la fibra.

Los melones son excelentes. Yo pensaba que no me gustaban los melones hasta que me di cuenta que lo que no me gustaba era el melón que no estaba maduro. Con demasiada frecuencia, los pedazos de melón precortado que venden en las tiendas o sirven en los restaurantes no tienen sabor, y parecen piedras insípidas en lugar de melones maduros. Los melones tienen pocas calorías, son dulces y lo dejarán muy satisfecho. Encontrará que lo mejor es dejar una taza de melón precortado en el refrigerador. Lo único de malo es que tienen mucha agua y, en consecuencia, tendrá que vaciar su vejiga con mayor frecuencia.

Use vinagre balsámico (añejo). Este tipo de vinagre parece un jarabe y es tan sabroso que un poquito es más que suficiente. Lo mejor es que no tiene que usar aceite de oliva, y cubre la ensalada muy bien.

El kétchup y la mostaza son mejores que la mayonesa.

La salsa roja es mejor. Cuando coma fideos, use salsa de tomate en lugar de salsa blanca. Aunque me encanta el aceite de oliva con pedacitos de ajo, sé que debo tener mucho cuidado. Cada cucharada de aceite de oliva tiene 100 calorías. Y una cucharada es poquitísimo.

Sírvase el arroz y los fideos en incrementos de ½ taza. Me encanta el arroz, pero me sorprendió saber que mi porción usual equivalía a 2 tazas de arroz integral. Si añadía una taza de frijoles, estaba comiendo casi 700 calorías. Con respecto a la pasta, se quedará con la boca abierta de saber lo poco que es una taza.

El ejercicio es esencial

Todos sabemos que es necesario movernos más, sin importar cuánta actividad física hacemos en la vida diaria. Me esfuerzo mucho por moverme más. Es difícil, pero he aprendido que tiene un impacto positivo significativo en mi bienestar. Incluso los estudios muestran que cuando la gente hace ejercicio, mejora su calidad de vida incluso si su peso no cambia.[13]

Sabiendo lo importante que es, me di cuenta que añadir más movimiento a mi vida parecía tener un efecto diferente en mí que en otras personas. Y los estudios confirmaron mi experiencia. Ya sea miremos los efectos sobre adolescentes[14] o en personas mayores, los resultados mostraron que si diferentes personas hacen la misma actividad no obtienen el mismo efecto.

Esto lo demostró un estudio reciente que investigó el efecto del ejercicio en personas mayores que llevaban una vida sedentaria. Se estudió a 95 hombres y mujeres sedentarios, de 65 a 79 años de edad. Todos participaron en uno de dos programas de ejercicio. Cada programa duró cinco meses, con cuatro días a la semana de entrenamiento aeróbico o tres días de entrenamiento de resistencia. El resultado principal fue que incluso cuando las personas hacían los mismos ejercicios, los efectos variaron. El nivel de mejoría variaba de persona a persona. Algunos no mejoraron.[15]

El movimiento es beneficioso por muchas razones que van más allá de ayudarlo a controlar el peso. Tome el ejemplo de los muchos beneficios del tai chi. Aunque parece solo estiramiento, su cuerpo responde de muchas otras maneras que recién estamos empezando a entender para evaluar y documentar. Según el Centro Nacional de Salud Integral y Complementaria, que es parte de los Institutos Nacionales de Salud: "Hay evidencia que sugiere que practicar tai chi puede ayudar a quienes sufren de dolor crónico asociado a la osteoartritis y fibromialgia".[16]

Para asegurarse de moverse más, tenga en mente lo siguiente:

Caminar es maravilloso. Esta es una actividad que la mayoría de nosotros podemos hacer por el resto de nuestra vida. No tiene que ir rápido; solo haga lo que pueda y poco a poco vaya aumentando. La distancia, velocidad y terreno cambiarán a medida que cambie su aptitud física. Tal vez piensa que no tiene tiempo para salir a caminar, pero todos podemos aumentar lo que caminamos durante el día muy fácilmente. Algunos ejemplos:

- Entregue algo directamente a un compañero de trabajo, en lugar de enviarlo por correo electrónico, si su oficina está cerca.
- Tome las escaleras en lugar del elevador si solo tiene que subir uno o dos pisos.
- No se estacione a pocos pasos de su destino.
- Cuando traiga las compras a casa, cargue menos y haga más viajes.

Haga lo que pueda hacer. No haga algo solamente porque otras personas lo hacen. Es maravilloso tener amigos que logran correr un maratón o hacer todas esas increíbles posiciones de yoga. Pero usted debe encontrar las actividades que puede hacer sin lesionarse. Tenga especial cuidado al tomar parte en una actividad grupal. Concéntrese en lo que puede hacer en este momento de su vida. No se compare con otros ni con lo que podía hacer en el pasado. Enfóquese en lo que puede hacer ahora.

Anote cuándo y cuánto se mueve. Debe determinar si prefiere las mañanas o las noches. Yo termino agotada al final del día. Aunque mi trabajo es sedentario (estoy sentada trabajando en mi computadora la mayor parte del día) estoy demasiado cansada para hacer ejercicio en la noche.

Encuentre lo que es más probable que haga. La realidad es que algunas personas no tienen un deporte ni una actividad preferida. Esta es su oportunidad para explorar lo que podrá incorporar a su vida diaria.

Vaya a su ritmo. La mayoría de nosotros nos podemos beneficiar de un aumento en la cantidad de tiempo o la intensidad del ejercicio que hacemos. Para hacer esto de manera razonable, empiece una actividad nueva lentamente y aumente la cantidad o velocidad poco a poco.

Conozca cuál es un ritmo cardíaco saludable para usted. Manténgase dentro del rango seguro.

Consulte con su proveedor de servicios de salud para saber lo que es mejor para usted.

Todos necesitamos pensar constantemente en lo que sucede en nuestro cuerpo, así como en los factores externos (cultura y publicidad) que nos impulsan en la dirección incorrecta. Para que sea más fácil seguir su plan, es mejor atenerse a lo más simple: comer sano, recordar que no hay alimentos prohibidos, hacer la mayor actividad posible y apreciar el hambre leve.

---

[1]Harvey, E.L.; Summerbell, C.D.; Kirk S.F.L. y Hill A.J. "Dietitians' Views of Overweight and Obese People and Reported Management Practices," *Journal of Human Nutrition and Dietetics* octubre 2002, Volumen 15, Número 5, Páginas 331–347.

[2]Zhu, D.; Norman, I.J. y While, A.E. "The Relationship Between Health Professionals' Weight Status and Attitudes Towards Weight Management: A Systematic Review," *Obesity Reviews* mayo 2011; 12(5):e324-37.

[3]Sacks, F.M.; Bray, G.A.; Carey, V.J.; Smith, S.R.; Ryan, D.H.; Anton, S.D.; McManus, K.; Champagne, C.M.; Bishop, L.M.; Laranjo, N.; Leboff, M.S.; Rood, J.C.; de Jonge, L.; Greenway, F.L.; Loria, C.M.; Obarzanek, E. y Williamson, D.A. "Comparison of Weight-Loss Diets with Different Compositions of Fat, Protein, and Carbohydrates," *The New England Journal of Medicine*. 26 de febrero, 2009, Vol. 360, Número 9, Páginas 860-873.

[4]Gudzune, K.A.; Doshi, R.S.; Mehta, A.K.; Chaudhry, Z.W.; Jacobs, D.K.; Vakil, R.M.; Lee, C.J.; Bleich, S.N. y Clark, J.M. "Efficacy of Commercial Weight-Loss Programs: An Updated Systematic Review," *Annals Internal Medicine* 2015; 162:501-512. doi:10.7326/M14-2238.

[5]Reinhardt, M.; Thearle, M.S.; Ibrahim, M.; Hohenadel, M.G.; Bogardus, C.; Krakoff, J. y Votruba. S.B. "A Human Thrifty Phenotype Associated With Less Weight Loss During Caloric Restriction," *Diabetes*. Publicación antes de impresión: 11 de mayo, 2015. DOI: http://dx.doi.org/10.2337/db14-1881

[6]Rodríguez, J.C. *The Diet Selector*. Running Press. Philadelphia, 2007.

[7]Hall, K.A.; Bemis, T.; Brychta, R.; Chen, K.Y.; Courville, A.; Crayner, E. J.; Goodwin, S.; Guo, J.; Howard, L.; Knuth, N.D.; Miller, B.V.; Prado, C.M.; Siervo, M.; Skarulis, M.C.; Walter, M.; Walter, P.J. y Yannai, L. "Calorie for Calorie, Dietary Fat Restriction Results in More Body Fat Loss than Carbohydrate Restriction in People with Obesity." *Cell Metabolism* 22, 1–10, 1ero de septiembre, 2015, Elsevier Inc. DOI: http://dx.doi.org/10.1016/j.cmet.2015.07.021

[8]"Low-fat May Beat Low-Carb Diet for Trimming Body Fat: Study in HealthyDay News," *MedlinePlus: Trusted Health Information for You*. 13 de agosto, 2015.

[9]Zeevi, D.; Korem, T.; Zmora, N.; Israeli. D.; Rothschild, D.; Weinberger, A.; Ben-Yacov, O.; Lador, D.; Avnit-Sagi, T.; Lotn-Pompan, M.; Suez, J. et al. "Personalized Nutrition by Prediction of Glycemic Responses." *Cell*. Volumen 163, Número 5, 19 de noviembre, 2015, Páginas 1079-1094 DOI: http://dx.doi.org/10.1016/j.cell.2015.11.001

[10]Food and Drug Administration. "Questions and Answers on Dietary Supplement." 2015.

[11]Starr, Ranjani. "Too little, too late: Ineffective Regulation of Dietary Supplements in the United States." *Public Health Ethics, American Journal of Public Health*. Marzo 2015. Vol. 105, Número 3.

[12]*Journal of the American Medical Association*. "Presence of Banned Drugs in Dietary Supplements Following FDA Recalls." Research letter. 22/29 de octubre, 2014.

[13]Martin, C.K.; Church, T.S.; Thompson, A.M.; Earnest, C.P. y Blair, S.N. "Exercise Dose and Quality of Life: A Randomized Controlled Trial." *Archives of Internal Medicine*, Vol. 169, Número 3, 9 de febrero, 2009, Páginas 269-278.

[14]White, J. y Jago, R. "Prospective Associations Between Physical Activity and Obesity Among Adolescent Girls: Racial Differences and Implications for Prevention," *Archives of Pediatric Adolescent Medicine* Vol.L 166 (No. 6), junio 2012, Páginas 522-527.

[15]Chmelo, E.A.; Crotts, C.; Newman, J.C.; Brinkley, T.E.; Lyles, M.F.; Leng, X.; Marsh, A.P. y Nicklas, B.J. "Heterogeneity of Physical Function Responses to Exercise Training in Older Adults," *Journal of the American Geriatric Society*. Marzo 2015; 63(3):462-9.

[16]*The National Center for Complementary and Integrative Health of the National Institutes of Health,* agosto 2015.

CAPÍTULO 7

Sepa lo que está haciendo

Según las ciencias conductuales, basta medir algo para que cambie. En mi caso, y en el caso de muchos otros, llevar cuenta de nuestro peso, formal o informalmente, no era suficiente para mantener el peso en el nivel deseado. Tengo décadas de cuadros de peso. Obviamente, anotar mi peso, sin importar cuán metódicamente lo hacía, no me permitió mantener un peso saludable, a pesar de que sabía que era bueno para mí. Tenía la práctica de anotar, pero no produjo los resultados esperados.

La mayoría de nosotros lleva la cuenta de nuestro peso formal o informalmente. Casi todos sabemos cuánto pesamos, aunque tal vez no se lo digamos a los demás. Quienes tenemos sobrepeso también tenemos una idea de cuánto nos gustaría pesar. Algunos pensamos que deberíamos pesar lo que pesábamos en la secundaria o la universidad. Otros se enfocan en siempre mantener la misma talla de ropa, sin importar la enorme variación que sabemos que existe en las tallas.

A menudo, metas de este tipo nos condenan al fracaso, ya que no toman en cuenta cómo nuestra actividad física y nuestro bienestar cambian con el tiempo.

Convertir toda esta investigación para ver cómo se aplica a las personas, me dejó en claro que una meta demasiado ambiciosa me condenaría al fracaso. La buena noticia es que mi meta ya no tenía que ser lograr un peso que me pondría en un nivel de peso normal. Estaba bien tener sobrepeso, y hasta era preferible. Lo que necesitaba saber era cómo aplicar la investigación a mi vida. En otras palabras, ¿cómo podía crear una meta que me hiciera más saludable y que me pudiera mantener así por el resto de mi vida?

La importancia de anotar todo es que, con el tiempo, usted puede ver cuánto ha avanzado en el control de su peso. Usted usará esa información para ayudarlo a saber lo que está haciendo bien y cuándo necesita recalibrar su nueva manera de pensar y comer. Puede hacer esto de cualquier manera que le acomode. La clave es usar la información que anote para informarse objetivamente y para saber qué lo ayuda y qué no en sus esfuerzos.

Anote el peso. Sé que lo más probable es que usted se haya pesado tantas veces que ya sabe cómo pararse, moverse y subirse a la báscula para minimizar su peso. Pero este es un plan a largo plazo y no solo una parte temporal de su vida. Ponga a un lado todo lo que hizo en el pasado y acostúmbrese a pesarse en la mañana. Lo mejor es pesarse sin ropa, apenas se despierte.

Solía viajar mucho y me pesaba apenas regresaba a casa después de un largo vuelo. Mi peso había aumentado dos a tres libras. Unos días después, me pesaba y celebraba que había perdido una o dos libras. En realidad, no había perdido nada de peso, y de hecho estaba engordando. —Harriet

Pesarme todos los días me hacía pensar en la conexión entre el ejercicio, alimentos específicos y nutrientes. Pero no anoto mi peso todos los días. Descubrí que cuando como fuera, tal vez consumo el mismo número de calorías, pero como hay tanta sal en la comida, termino pesando más que si hubiera comido en casa. Aparentemente, el hecho de no añadir sal a ninguna comida sabrosa que preparo en casa, cambia cuánta agua retengo. Pesarnos todos los días es una guía para pensar en cómo comemos y cuánto ejercicio hacemos. Uso esos números para ver si progreso. El miércoles es el día que me peso y lo anoto.

Vea cómo le queda la ropa. En lugar de enfocarme en una talla específica como meta, escogí como referencia un par de piezas que tenía para "usar algún día". Cada dos meses me las probaba para ver cómo me quedaban.

Después de unos meses de adelgazar, me di cuenta de que mis pantalones me quedaban más sueltos. Pocos meses más tarde, los pantalones de repuesto se veían demasiado largos y tenía que enrollar la cintura. Me tomó un tiempo darme cuenta de que los pantalones L.L.Bean que había usado por décadas ahora me quedaban grandes. Me sorprendió encontrar que había pasado de ser *Petite Extra Large* a *Petite Large*. Con el tiempo llegué a *Petite Medium*. La ropa en mi sección para "usar algún día" finalmente me quedaba. Algunas incluso llegaron a ser demasiado grandes. Me miraba en el espejo y no sentía que el cambio visual era tan drástico como se veía en esos comerciales para perder peso. Pero la ropa era la evidencia tangible de cuánto había cambiado mi talla.

Recursos para anotar la comida y el ejercicio. Hay muchos *apps* y recursos que puede usar para anotar la información con regularidad. Algunos son gratis y otros tienen un costo mínimo. Respecto a saber cuánto estaba comiendo en realidad, y cuánto ejercicio estaba haciendo, encontré que MyFitnessPal.com era lo más útil. Usar el sitio es gratis y también hay un *app* que puede usar en sus otros dispositivos. Una vez que usted se suscribe, ingresa la información sobre su peso, estatura, meta de peso, sexo y fecha de nacimiento, y esto pasa a ser su perfil. El siguiente paso es describir su actividad diaria normal. Para la mayoría de nosotros lo más seguro es escoger "sedentario", que significa que pasa la mayor parte de su día sentado. Si indica "sedentario", recibirá un cálculo conservador de cuánto necesita comer a diario. Como parte de sus actividades, también debe indicar la frecuencia y duración de las sesiones de ejercicio que se propone hacer.

El siguiente paso es decidir su meta. Se indican siete metas:

- Perder 2 libras por semana
- Perder 1½ libras por semana
- Perder 1 libra por semana
- Perder ½ libra por semana
- Mantener mi peso actual
- Ganar ½ libra por semana
- Ganar 1 libra por semana

Para muchos de nosotros que deseamos perder peso, la meta de ½ libra por semana es ambiciosa pero razonable. En base a su meta, le hacen sugerencias de nutrición y ejercicio.

El siguiente paso es completar la pantalla de inicio. Aquí es cuando debe anotar su peso inicial y sus medidas. MyFitnessPal le permite escoger lo que desea medir y anotar. Lo mínimo es medir la circunferencia de cintura. Yo también me medí las caderas, busto, muslo (derecho) y brazo (derecho), porque pensé que tal vez me darían una mejor idea de mi progreso. Usted también puede añadir otras partes del cuerpo. Yo anotaba mi peso semanalmente en un cuaderno, pero solo ingresaba mi peso en MyFitnessPal después de varias semanas. Anotaba las otras medidas del cuerpo incluso con menor frecuencia. De todos modos, era bueno tener esta información porque podía usarla para medir dónde estaba antes y dónde estoy ahora.

La sección sobre ejercicio me brindaba información muy útil sobre el ejercicio que hacía. Los días que hacía ejercicio –y no eran tantos como habría querido– podía anotar los ejercicios y ver cuántas calorías había quemado. Era muy fácil hacerlo, porque la mayoría de las actividades cardiovasculares y de resistencia están en su base de datos. Y aunque tiene que ingresar el ejercicio específico la primera vez, la próxima vez que quiera añadir su actividad, aparecerá en su lista.

Toda la información sobre el ejercicio era muy motivadora. Me complacía ver que mis 75 minutos apaleando nieve quemaban tantas calorías. Se veía claramente que incluso hacer ejercicios de estiramiento leve me permitían comer más calorías ese día.

También me gustaba el hecho de que el *app* de MyFitnessPal que descargué en mi teléfono estaba conectado a un contador de pasos que hacía un seguimiento de mi actividad física. Luego los resultados se integraban a mi diario de comida. Era muy útil ver el impacto coordinado del ejercicio y las calorías que comía. Cuanto más caminara, más calorías podía comer.

Esta es la manera más fácil de llevar la cuenta de las calorías y los nutrientes. Tienen una enorme base de datos de calorías y nutrientes de la comida de tiendas y las cadenas principales de restaurantes. Lo que más me gustaba era que podía ingresar mis recetas para calcular las calorías. Eso me permitía calcular rápidamente cuántas calorías tiene una porción de mi guiso de pescado, mi paella y mis fideos con ajo y anchoas. También era divertido ver cómo podía modificar mi receta estándar para reducir las calorías.

La sección de reportes fue útil para visualizar los cambios que había experimentado. Tras pocos meses, podía ver que mi peso había bajado. Pero no era una línea recta hacia abajo. La tendencia era un zigzag hacia abajo. Había semanas en que nada pasaba (línea horizontal) y luego sí perdía peso (diagonal hacia abajo). Luego el proceso empezaba de nuevo. Con el tiempo, parecía que las vacaciones y feriados hacían que la parte horizontal fuera cada vez más larga que la diagonal hacia abajo. Me repetía constantemente que debía enfocarme en la tendencia a rebajar. Cuando miro el cuadro del año pasado, sigo sorprendida de todo el peso que perdí. Se puede producir todo tipo de reportes sobre las tendencias en su peso, nutrición (calorías, carbohidratos, grasas, proteínas, grasas saturadas, colesterol, sodio, etc.) y actividad física. Usted tiene que decidir que va a ver y los reportes que lo van a ayudar a controlar su peso.

Hubo partes de MyFitnessPal que no utilicé. No estaba interesada en los foros, ni en los muchos consejos y *blogs* de otros usuarios.

El diario de comida era el núcleo de lo que trataba de anotar todos los días. Debo confesar que en las primeras semanas solo hice cálculos estimados. Una vez que empecé a medir y anotar con regularidad, tenía una mejor idea de lo que estaba comiendo. Como estaba anotando calorías, carbohidratos, sodio, potasio, calcio y hierro, podía ver el valor total de cada cosa que comía. Eso era importante porque me ayudó a escoger lo que iba a comer y a entender que la manera en que comía podía apoyar o perjudicar los buenos hábitos que estaba tratando de adoptar para el resto de mi vida.

Estaba impresionada con la manera en que la gente de MyFitnessPal dejaba ver tan claramente que hay que comer una cantidad saludable de comida. Si al final de día usted no come suficientes calorías, MyFitnessPal no le deja saber cuál será su peso proyectado si continúa comiendo de esa manera. En vez, aparece un mensaje de advertencia de que probablemente no comió suficiente y que el NIH recomienda comer no menos de 1,000 a 1,200 calorías para mujeres y 1,200 a 1,500 calorías para los hombres. El mensaje también señala que no comer lo suficiente puede causar "deficiencia de nutrientes, efectos secundarios desagradables y otros serios problemas de salud". Ese recordatorio es crucial, porque a menudo las personas están tan enfocadas en controlar su peso que se olvidan de que la meta es la salud. Controlar el peso ayuda a ser más sano, pero en sí mismo, no es suficiente para la salud ni el bienestar.

A veces me asombraba de todo lo que aprendí sobre mí misma por usar MyFitnessPal. Me alegré cuando mi amiga Tassia nos invitó a su casa para celebrar el Día de la Independencia y el cumpleaños de su hijo. Lo mejor era que la comida iba a consistir exclusivamente en platos griegos hechos en casa. Traté de planear con anticipación y a propósito tomé un desayuno ligero para poder disfrutar de las festividades y saborear toda la deliciosa comida hecha en casa.

Estuvimos en casa de Tassia de 1 a 6 pm. Conversamos, nos reímos y disfrutamos del festín. Recordando las tres Ps, intencionalmente comí mucho menos de lo que quería comer y no me llené el estómago, ni de lejos. Además, solo tomé agua, porque quería guardar las calorías para la comida.

Había mucho que escoger, desde *moussaka* a cordero, hasta *spanakopita*. Incluso había varios pasteles de cumpleaños para satisfacer las diferentes preferencias de comida. Así que me serví una tajadita (ni dos cucharadas) de cada pastel. Para cuando nos fuimos, me sentía algo llena y sabía que, si acaso, cenaría algo muy ligero.

Para cuando llegué a casa, sentía curiosidad de cuánto realmente había comido. Decidí contar las calorías en todo lo que comí, sabiendo que los cálculos serían solo estimados. Quería darme una idea de cuánto había comido libremente, sin planificar.

Usé MyFitnessPal para saber cuántas calorías había consumido. Cuando vi el total, quedé espantada. Eran 2,164 calorías (ver abajo). Usé esos números para proyectar mis calorías y lo que eso significaba. Las cifras no mentían: si comía así todos los días, en 5 semanas, subiría 11 libras. Es decir que, me iba a tomar solo 5 *semanas* para subir lo que había perdido en los últimos 5 *meses*. Me quedé helada, pero solo reforzaba lo que ya sabía. Tenía que llevar la cuenta a diario de qué comía y cuánto. No era una opción, sino una necesidad para mantener un peso saludable. Suspiré profundamente.

1 p.m.	
Spanakopita hecha en casa (5 triángulos)	350
Ensalada griega (muy poquito)	38
2:30 p.m.	
Moussaka hecha en casa (2 tazas)	440
Chuletas de cerdo a la parrilla (5 onzas)	330
Pastel de queso griego (4 onzas)	275
Pastel de queso feta y espinaca (1/2 pedazo)	90
4:30 p.m.	
Baklava genérica (2"x2")	418
Mousse de chocolate (2 onzas)	223
Total	2,164

Una vez más, la vida me recordaba que mantener el peso perdido es muy difícil.

Para mí, llevar la cuenta con MyFitnessPal fue un recurso esencial que les daba un respaldo a mis nuevos hábitos. Hay muchos otros *apps* para quienes desean controlar su peso.

Para otro amigo, la estructura y comunidad de Weight Watchers le daba lo que necesitaba. De hecho, hay considerable evidencia de que si quiere ser parte de un grupo, Weight Watchers es el mejor programa para usted, especialmente por su costo tan razonable. Como en todo proceso grupal, tener un líder motivador es crucial. Cada alimento tiene un valor asignado, y a cada persona le dicen cuánto puede comer. Hay *apps*, recursos en internet, libros y todo tipo de apoyo. El programa de Weight Watchers trata de enseñarle nuevos hábitos de comer. Como siempre, hay que luchar para mantener la reducción de peso que logró.

Haga un seguimiento de su salud en general. Su proveedor de servicios médicos puede darle información sobre su salud y cualquier cambio que haya notado.

Esta es su vida. De modo que usted es quien mejor sabe cómo le va. Considerando dónde empezó, y todo el trabajo que ha hecho, pregúntese: ¿Cómo se siente? ¿Hay actividades que ahora puede hacer que antes no podía? ¿Puede hacer sus actividades preferidas por más tiempo? ¿Seguirá tratando de perder peso?

Este es un plan personalizado que usted desarrolló, adaptó y cumplió. Los pasos siguientes dependen de usted.

EPÍLOGO

El pionero de los estudios sobre la obesidad, el Dr. Jules Hirsch, era "médico y científico. Ayudó a replantear el moderno entendimiento de la obesidad al demostrar que las personas no engordan ni adelgazan simplemente porque comen demasiado o se privan de comida. Los estudios que realizó durante su vida dan explicaciones bioquímicas para una condición atribuida a debilidad personal."[1] El trabajo del Dr. Hirsch documentó que el cuerpo de cada persona tendía a un peso fijo sin importar si era o no era el peso más saludable para la persona.[2] Tras décadas de investigación, documentó que algunas personas estaban biológicamente predispuestas a tener sobrepeso, y que el exceso de peso probablemente se debía a alguna interferencia en la manera en que el cuerpo convertía lo que comía en la energía necesaria.

Mientras le daba los últimos toques a este libro, leí el obituario del Dr. Hirsch. Tal vez no es tan famoso como todos los médicos y profesionales de la salud asociados con alguna estrategia revolucionaria para perder peso, pero de muchas maneras, es un héroe, a pesar de que no se le reconozca como tal. Él fue quien documentó la ciencia que respalda lo que sostenemos muchos de nosotros que tratamos de controlar nuestro peso. Demostró que, aunque llegar al peso deseado es difícil, mantenerse allí es incluso más difícil. La solución rápida y fácil que mencionan los comerciales, no existe. El Dr. Hirsch es conocido por haber dicho que los que pierden peso "se van a sentir terriblemente". Pero luego añadió: "Pero si pueden hacerlo, su vida será mejor".[3]

Tenía razón. Hubo momentos en que me sentí terriblemente. Después de todo, nos entrenaron a pensar que el hambre era algo malo. Y tuve que aprender a comer lo suficiente para evitar dolores de cabeza y el mal humor. Tuve que aprender que estaba bien sentir hambre leve. Tuve que aprender a comer más lentamente, para que mi cerebro registrara la saciedad en mi estómago. Y aprendí a esperar un poco cuando tenía hambre para poder apreciar y saborear todo lo que comía.

Encontré que, con el tiempo, pude navegar mejor las aguas torrentosas que son parte de mantener un peso más saludable. No me cabe duda de que ser consciente de qué como y cuándo como, será parte de mí por el resto de mi vida.

Todavía uso MyFitnessPal para que me ayude a estar consciente de cuánto estoy comiendo. Sé que tengo que usar la información para ayudar a calibrar mis decisiones de comida y actividad. No hay comidas prohibidas, solo comidas que planeo comer (como pizza y helado). Cuando solo como lo que quiero porque la comida es deliciosa, sé que tengo que compensar por ello.

Han pasado más de dos años desde que empecé este plan. Algunos días son más difíciles que otros, pero lo que hace la diferencia es saber cuánto se ha beneficiado mi vida.

---

[1]Langer, Emily. "Jules Hirsch, Physician-scientist who Reframed Obesity, Dies at 88. Obituary," *Washington Post*. 3 de agosto, 2015.

[2]Leibel, R.L.; Rosenbaum, M. y Hirsch, J. "Changes in Energy Expenditure Resulting from Altered Body Weight," *New England Journal of Medicine*. 9 de marzo, 1995. Vol. 332, Páginas 621-628 DOI: 10.1056/NEJM 199503093321001

[3]Weber, Bruce. "Jules Hirsch, Pioneer in Obesity Studies, Is Dead at 88." *New York Times*. 30 de julio, 2015, Página A16.

AGRADECIMIENTOS

El conocimiento que yo obtuve arduamente, y las revelaciones de las personas que compartieron conmigo sus experiencias y vivencias personales en el mejoramiento de su salud y sus esfuerzos en lograr cambios en su vida, me llevaron a escribir este libro. Además, hay otras personas muy especiales que hicieron posible este libro.

Ante todo, quiero agradecerle a mi madre, Lucy, que me proporcionó ese enfoque positivo hacia la vida que edificó la imagen saludable que tengo de mí misma, así como la creencia en que todo lo que es bueno es posible. A mi esposo, Mark, quien me ha brindado todo su amor y apoyo durante décadas, mientras yo lidiaba con los grandes cambios que formaron parte de nuestra vida entonces, los cuales están reflejados en las páginas de este libro. También quiero reconocer su paciencia durante las veces que estuve trabajando hasta tarde los fines de semana y durante las vacaciones, tratando de perfeccionar con precisión éste y los otros libros que he escrito.

También quiero agradecerle a Adolph, Cynthia, Tom, y Marti, por haberme animado en todo momento y en todas las formas posibles. A Keith, Ron, Helaine, Jim, y Donna, quienes me proporcionaron el conocimiento de la industria necesario para publicar este libro, a pesar de que su contenido no reflejaba los consejos típicos y trucos engañosos para perder peso que tanto atraen a los agentes y editores. A Larry que me hizo reír con la descripción de sus intentos para controlar su peso, incluyendo uno que requería comer porciones de requesón (¡Incluso requesón con salsa cátsup!). A Larry también se le ocurrió el título de este libro. Este libro no se hubiera podido imprimir sin la guía de Adolph y Bill en lo referente a navegar por las nuevas realidades de la industria editorial.

Asimismo hay personas maravillosas en mi vida que me brindan su amor, sabiduría y orientación; apoyan mis pasiones; y que además sitúan mis intenciones o deseos en perspectiva cuando necesario— Ileana, Kevin, Amanda, Sheila, Tatyana, Msgr. Duffy, Esther, Gladys, Carolyn, Roy y Rosamaría. Tambien me recuerdo de mi prima Deborah y Henrietta.

A todas estas personas excepcionales, y a las muchas otras que no pude incluir en estas dos páginas, les dedico mi más profundo agradecimiento. Nuevamente, gracias por su gran labor y por toda la inspiración y retroalimentación que proporcionan. Es un gran honor para mí tener a cada uno de ustedes en mi vida.

ÍNDICE

glucosa, 14, 69-70, 72-75, 78-79, 125
Glunk, V., 93
Golomb, B. A., 112
Goodwin, S., 134
Gore, Andrea, 92, 97
Gortmaker, S. L., 93
granos integrales, 82-83
grasa, 6-7, 14, 27, 69-71, 84, 86-93, 117-118, 122, 124, 143
grasa corporal, 11-13
grasa trans, 87-88
Graubard, B. I., 23
Greenway, F., 133
Gregg, E. W., 94
grelina, 11
Gudzune, Dr. Kimberly, 120, 134
Gulliford, M. C., 22
Guo, J., 134
Håkansson, Nils, 23
Hall, 134
Halpern Eran, S., 95
hambre, XIII-XIV, XVII, 2-4, 11, 18, 25, 27, 31, 33-44, 48, 50, 52, 54, 56, 65, 67, 79, 81, 84, 99, 101-105, 108, 110, 114, 119, 133, 149
hambrienta, 37

Hammond, R., 68
Hardman, R. A., 37, 45
Harmelin, I., 95
Harper, R., 97
Harris, J. L., 68
Hartge, P., 23
Harvey, E. L., 133
Haugen, C., 93
Hauner, H., 93
Havel, P. J., 94
Hawkes, Corinna, 54, 68
HDL colesterol, 14, 87
Henley, W. E., 97
Herbert, B. M., 45
heredado, 71
Herman, C. P., 112
Heuer, C. A., 22
HFCS (*high fructose corn syrup*) 75, 79-80, *Vea* jarabe de maíz con alta fructosa
hidratación, 26, 126
hidrogenado (a), 87, 88
hígado, 75, 91, 127
Hill, A. J., 133
hipertensión, 14, 85
Hirsch, Dr. Jules, 148-150
Hodge, D. O., 23
Hohenadel, M. G., 134
Holmes, M. D., 94
Hoppin, J. A., 23

LDL colesterol, 14, 80, 87
Leboff, M. S., 133
Lee, C. J., 134
Lee, V., 94
Leibel, R. L., 150
Leng, X., 135
leptina, 11
leptogénico, 56
Ley, R. E., 93
Li, Y., 89, 96
Linet, M. S., 23
Littlejohns, P., 22
Liu, J., 93
Locke, A. E., 93
López-Jiménez, F., 24
Loria, C. M., 133
Lotn-Pompan, M., 93, 134
Ludwig, D. S., 93, 95
Luecking, C., 22
Luo, Shan, 78, 94
Lyles, M. F., 135
MacInnis, R. J., 23
madeleine, 103-104, 111
Magkos, F., 22
Maier, Silvia, 65, 68
maíz, 74-75, 79-80, 89, 108
Makwana, A. B., 68
Manson, J. E., 96
mantequilla, 86, 89-90
manzana, 13, 75
maratón, 131

margarina, 87
marinara, 105
mariscos, 91
marmoleados, 89
Maroleanu, A., 95
Marsh, A. P., 135
Martin, C. K., 135
mayonesa, 107, 129
Maza, D., 95
McManus, K., 133
Mead, N. M., 96
medicamento, XII, 120, 126-127
Medici, V., 94
medicina, 118, 120
Mehta, A. K., 134
Mellgren, G., 93
melón, 128
Melzer, D., 97
Mente, A., 95
Merrill, M. L., 96-97
Merritt, R., 94
metabolismo, XVII, 11, 123, 126
Meuleman, W., 93
microbioma, 70, 93
microbios, 70
Miller, R. V., 134
monoinsaturadas, 88-89, 96
Monterosso, J. R., 94

Prins, J. B., 23
procesado(a), 75, 83, 88, 108-109
proteína, 117-118, 122, 128, 143
proveedor de servicios de salud, XVI, 20, 133, 147
publicidad, XVIII, 27, 33, 48, 56-62, 64, 66, 120, 133
Puhl, R. M., 22
Purdue, M. P., 23
Puviindran, V., 93
Qi, Q., 94
queso, 25-26, 33, 89, 111-112, 146
Quetelet, 22
química, 85, 91, 125
Quon, G., 93
Raza, F., 67
recomendaciones, 70, 75, 86-87, 125
regla, 51, 81-82, 98, 109
Reinhardt, Dr. Martin, 122, 134
Richter, C. A., 97
riesgo, XII, 11, 13-15, 78, 80, 91, 119
Rimm, E. B., 94, 96
Roberto, C. A., 67
Robien, K., 23
Robinson, Eric, 101, 112

Rodríguez, Judy C., 123, 134
Rodríguez-Escudero, J. P., 23, 123, 134
Roger, V. L., 23, 45
Rogers, P.J., 37, 45
Rood, J. C., 133
ropa, VII, X, XV, 17, 19, 34, 136, 138-139
Rosenbaum, M., 150
Rosenberg, P. S., 23
Rothschild, D., 93, 134
Rubin, B. S., 97
Rudisill, C., 22
Rutter, F., 112
Ryan, D. H., 133
saciedad, 27-28, 32, 37, 41, 74, 79, 119, 127, 149
Sahakyan, K. R., 24
sal, IX, 108-109, 138
salmón, 89
salsa, 105, 108, 111, 129
Sampson, L. A., 94
sangre, 6, 69, 74, 76, 79-80, 85-86
Sarpelleh, K., 94
satisfacción, 104, 111, 119
saturada, 86, 89, 143
Scarlett, A., 97
Schairer, C., 23
Schmidt, L. A., 93

CPSIA information can be obtained
at www.ICGtesting.com
Printed in the USA
LVHW04s1538230818
587903LV00012B/1348/P